Controvérsias sobre a ciência

Por uma sociologia transversalista da atividade científica

Controvérsias sobre a ciência

Por uma sociologia transversalista da atividade científica

Terry Shinn e Pascal Ragouet

Tradução de
Pablo Rubén Mariconda e Sylvia Gemignani Garcia

São Paulo, 2008

Título original em francês: *Controverses sur la science. Pour une sociologie transversaliste de l'activité scientifique*. Paris: Éditions Raisons d'Agir, 2005.

Projeto editorial: Associação Filosófica Scientiæ Studia
Direção editorial: Pablo Rubén Mariconda e Sylvia Gemignani Garcia
Projeto gráfico e capa: Camila Mesquita
Editoração: Guilherme Rodrigues Neto
Revisão: Mell Brites

Serviço de Biblioteca e Documentação da FFLCH-USP

S456
Shinn, Terry
Controvérsias sobre a ciência : por uma sociologia transversalista da atividade científica / Terry Shinn, Pascal Ragouet; tradução de Pablo Rubén Mariconda, Sylvia Gemignani Garcia. – São Paulo : Associação Filosófica Scientia Studia : Editora 34, 2008.
208 p. (Sociologia da Ciência e da Tecnologia. Estudos sobre a Ciência e a Tecnologia).

Tradução de: Controverses sur la science. Pour une sociologie transversaliste de l'activité scientifique

ISBN 978-85-61260-02-6 (Associação Scientiæ Studia)
ISBN 978-85-7326-412-8 (Editora 34)

1. Sociologia da ciência. 2. Pesquisa científica (aspectos sociais). 3. Democracia. 4. História da ciência. I. Ragouet, Pascal. II. Mariconda, Pablo Rubén. III. Garcia, Sylvia Gemignani. IV. Título. V. Série.

21ª. CDD 501
615.532

Associação Filosófica Scientiæ Studia
Rua Santa Rosa Júnior, 83/102
05579-010 • São Paulo • SP
Tel./Fax: (11) 3726-4435
www.scientiaestudia.org.br

editora 34
Rua Hungria, 592
01455-000 • São Paulo • SP
Tel./Fax: (11) 3816-6777
www.editora34.com.br

Sumário

Introdução

A definição da ciência, sua organização e os liames que a unem à sociedade global são atualmente objeto de debates sociológicos intensos e de ásperos confrontos. Por trás das posições presentes, apresentam-se mais que representações conflitantes da ciência: pode-se obter nelas, em filigrana, visões diferentes do mundo social e do que ele deveria ser. A tarefa é, com efeito, facilitada quando os debates científicos são levados à esfera pública, como foi o caso, a propósito dos estudos sociais da ciência, no momento do "caso Sokal". Último avatar do que se denomina freqüentemente "a guerra das ciências", o episódio produziu a mobilização de um certo número de sociólogos, e mais amplamente de intelectuais, em torno de duas representações diametralmente opostas da ciência.

A partir dos anos 1970, a ciência é alvo dos ataques de parte dos universitários, de pesquisadores e de intelectuais, mais ou menos ligados ao pensamento pós-moderno e ao construtivismo. Localizado inicialmente nos Estados Unidos, esse movimento crítico ganhou a Europa. Ele acusa a ciência de contribuir para a dominação de certas minorias sociais, de afirmar a superioridade epistemológica da ciência ocidental, de ser o sustentáculo dos complexos industriais militares e de tornar-se responsável pela degradação ecológica do planeta. Desenvolveu-se, assim, uma ideologia anticiência, suscitando o desenvolvimento de um relativismo intelectual para o qual *a* verdade não existe – a não ser como produto de condições locais – e as posições intelectuais não podem ser mais que incomensuráveis. Mas isso não é tudo. Essa posição recolocou igualmente em questão a necessidade de preservar uma certa autonomia da ciência para que ela continue a funcionar eficazmente. Toda uma série de discursos visa, desde então, a organização disciplinar da ciência e o sistema de controle do trabalho científico pelos pares, os quais muitos desejariam substituir pelas estruturas do trabalho interdisciplinar e pela organização de fóruns híbridos que permitam colocar a pesquisa sob o controle dos "cidadãos". Até então, prevalecia a tese segundo a qual a ciência não podia desenvolver-se senão sob os auspícios da democracia; agora, é a idéia de uma domesticação necessária da ciência pela democracia que é levada adiante e tende visivelmente a sujeitar a ciência às leis do mercado. Tudo isso traduziu-se progressivamente na promoção de uma visão muito particular do mundo, na qual as demarcações clássicas entre ciência e sociedade, natureza e cultura são negadas e fundidas em um conglomerado indiferenciado.

Em 1996, um físico da Universidade de Nova York, Alan Sokal, decidiu lançar uma ofensiva contra os movimentos relativistas, insistindo no caráter ideológico e cientificamente infundado das análises sobre as quais eles se apóiam. Sokal e seus partidários vão afirmar, em alto e bom tom, o caráter racional e universal do conhecimento científico, a necessidade de preservar a autonomia da comunidade científica, a importância crucial de manter, ao mesmo tempo, a distinção entre ciência fundamental e ciência aplicada e as possibilidades de intercâmbio entre essas duas vertentes da pesquisa científica.

O espaço para a tomada de posição estava consideravelmente bipolarizado ao final dos anos 1990, não somente no seio da especialidade dos estudos sociais da ciência, mas, mais amplamente, no espaço público. Estimulados pelas posições de Sokal, muitos cientistas e intelectuais não hesitaram em levar o debate ao espaço público, escrevendo em jornais generalistas – como *Le Monde* ou *Libération* na França – ou em revistas de divulgação como *La Recherche*.

Quando examinados, os argumentos trocados entre os dois campos revelam-se, finalmente, bastante fracos e isso explica toda a esterilidade do debate do ponto de vista do progresso do conhecimento. Entretanto, a intensidade da controvérsia revela todo o interesse que as questões concernentes à ciência, sua organização e sua própria essência suscitam no seio do corpo social. O propósito deste livro é expor três pontos de vista sociológicos sobre a ciência e a inovação técnica. Os dois primeiros aparecem mais ou menos como as versões acadêmicas das duas posições que se enfrentaram e continuam a enfrentar-se no contexto da guerra das ciências de que acabamos de falar. A terceira perspectiva provém de uma tentativa de superação ou, melhor, de dialetização das duas perspectivas precedentes.

Na primeira perspectiva, o caráter integrado da ciência foi, no início, pensado sociologicamente em um plano estritamente institucional. É a Robert Merton, sociólogo americano, que coube ter juntado desde os anos 1940 toda uma linhagem de trabalhos sobre o sistema social da ciência. Ele se dedicou, de uma parte, à análise de sua estrutura normativa, trazendo à luz os imperativos institucionais que constituem, segundo ele, o *ethos* da ciência e, de outra parte, ao estudo do sistema de recompensa próprio à instituição científica. Muito rapidamente, entretanto, os sociólogos que seguiam seu rumo começaram a criticar a visão excessivamente homogeneizante de Merton, insistindo na existência de processos de diferenciação horizontal e vertical, que afetam a estrutura social da ciência. É assim que se desenvolvem as análises que tratam da emergência e do desenvolvimento das disciplinas – pode-se citar Joseph Ben-David, Diana Crane ou ainda Nicholas Mullins – e outras análises com eixo na questão da estratificação no seio das comunidades científicas, às quais farão contribuições substanciais o próprio Merton e outros – tais como

Harriett Zuckerman, Jonathan e Stephen Cole. Nessa perspectiva, seja a diferenciação institucional interna da ciência levada ou não em conta, persiste uma invariante: a afirmação de que a ciência é um modo de conhecimento epistemologicamente diferente dos outros modos de apreensão da realidade. Por conseqüência, a ciência não somente é institucionalmente distinta das outras regiões do espaço social, mas ela se demarca como superior aos outros modos de cognição. É por isso que se pode caracterizar essa perspectiva como diferenciacionista.

Entretanto, mesmo se os sociólogos diferenciacionistas pretendem desenvolver análises sociológicas da institucionalização das ciências, eles consideram que nada têm a dizer, enquanto sociólogos, acerca dos conteúdos cognitivos da ciência. Trata-se de um objeto que pertence ao domínio da epistemologia. O que quer dizer, conseqüentemente, que a abordagem diferenciacionista é marcada também por uma concepção particular da divisão do trabalho entre a sociologia e a epistemologia da ciência. Essa posição será combatida pelos promotores de uma segunda perspectiva, que chamaremos de antidiferenciacionista.

Nesta segunda posição, a integração da ciência é duplamente negada. Em primeiro lugar, a ciência não existe enquanto campo social dotado de certo grau de integração: as noções de disciplina e de especialidade são assim amplamente criticadas e apagam-se em proveito da noção de rede, que se considera que descreve melhor a realidade da produção científica e a extrema plasticidade de seu contexto. Além disso, a ciência não existe enquanto campo social dotado de uma certa autonomia; a noção de rede permite ultrapassar essa espécie de física espontânea dos sólidos, que colocou até agora, de modo muito simplista, a ciência e a sociedade em uma relação face a face. Nega-se, de modo análogo, a particularidade epistemológica do saber científico, até então postulada pelos sociólogos diferenciacionistas. As estruturas cognitivas da ciência, objeto desde então justificável de uma análise sociológica que se seguiu principalmente aos trabalhos de Barry Barnes e David Bloor, subsumidos sob o nome de "Programa forte", não são mais pensadas como referindo a uma totalidade homogênea, específica, que se demarca das estruturas e das formas de raciocínio mobilizadas no conhecimento comum. Se tivéssemos que fazer o balanço do que se ganha e do que se perde ao passar do primeiro cenário ao segundo, poder-se-ia dizer que a unidade e a autonomia relativas da ciência, as formas de divisão do trabalho que a caracterizam desapareceriam e, além disso, que suas particularidades epistemológicas são negadas. Por outro lado, aprende-se muito sobre a ciência *in vivo*, tal como ela se faz nos laboratórios, sobre os instrumentos e o *know how* mobilizados no trabalho empírico.

Essa disjunção entre as duas perspectivas deixa toda uma série de problemas em suspenso. A perspectiva diferenciacionista postula a unidade epistemológica da ciência que a perspectiva antidiferenciacionista recusa, sob o pretexto de que a *atividade do conhecimento* científico é produto de condições sociais e técnicas heterogêneas, ancoradas no local e no contingente. Mas não será possível propor um sistema de compreensão que permita dar conta dos fenômenos de convergência intelectual, levando em conta a diversidade, a heterogeneidade, a contextualidade das práticas cognitivas concretas? Não seria desejável construir um quadro de análise que permitisse apreender a autonomia relativa do campo científico como o resultado de forças transversais que o atravessam e o ligam aos outros campos sociais? Esse é o eixo problemático que nos conduzirá a defender a possibilidade de um terceiro cenário, dito transversalista.

Capítulo 1

Uma ciência funcionalista e estratificada

A perspectiva sociológica diferenciacionista

Uma questão simples na formulação, mas bastante complexa na realidade, é freqüentemente levantada ao sociólogo e historiador da ciência: quando e onde emergiu a ciência moderna e sob quais condições? Em geral, os nomes de Galileu Galilei (1564-1642) e de René Descartes (1596-1650) são apresentados quando se aborda o problema das origens da ciência moderna. Galileu é principalmente considerado como o pai da física. Descartes, de sua parte, é invariavelmente citado como o pai da álgebra dos polinômios, um dos pioneiros da óptica geométrica e, juntamente com Pierre Fermat (1601-1665), da geometria analítica. Poder-se-ia citar ainda Isaac Newton (1642-1727), que analisou a estrutura da luz branca e formulou as famosas leis da gravitação (cf. Westfall, 1980). A lista de pais fundadores da ciência moderna poderia facilmente ser aumentada ao infinito e igualmente a lista das áreas de origem.

Apesar de sua capacidade de produzir uma informação interessante e abundante, as perspectivas histórica e biogeográfica parecem freqüentemente muito brandas e insuficientemente estruturadas ou teorizadas para tratar da questão da emergência da ciência moderna. E, com efeito, seria pertinente assimilar o nascimento e o desenvolvimento da ciência à introdução de uma idéia, à aparição de um método ou à descoberta de um fato? A essa questão o sociólogo da ciência responde negativamente. Ainda que, para ele, as teorias científicas, as experiências, os protocolos e os fatos constituam inegavelmente as componentes essenciais da ciência, não constituem fatores explicativos suficientes de seu desenvolvimento e de sua difusão.

Na perspectiva "funcionalista" apresentada aqui, a ciência deve sua existência ao fato de ter sofrido um processo de institucionalização, que consiste na constituição de um sistema de normas reguladoras das práticas, conjugado a um sistema de retribuição, destinado a recompensar os atores em conformidade com as normas internas da comunidade científica.

1 A questão do nascimento da ciência na sociologia

Em 1938, um jovem sociólogo americano, Robert K. Merton (1910-2003), defende sua tese de doutorado intitulada *Science, technology and society in seventeenth century England* diante de um areópago de professores de sociologia e história e filosofia da ciência (cf. Merton, 1970). O propósito de seu trabalho é examinar, de um ponto de vista sociológico, uma série de condições ao mesmo tempo religiosas, profissionais, econômicas e institucionais, suscetíveis de explicar a revolução científica e técnica que ocorreu na Inglaterra no curso do último terço do século XVII. Esse estudo é considerado importante por muitos especialistas, na medida em que, de uma parte, fornecia uma das primeiras respostas sociológicas à questão da origem da ciência moderna e, de outra parte, chegava a uma definição realmente sociológica da ciência. Essas duas características podem explicar o fato de que esse trabalho de Merton seja correntemente considerado como a pedra fundadora dessa especialidade chamada sociologia da ciência. Ainda que existam numerosos escritos sobre a ciência anteriores aos de Merton – os de Émile

Durkheim (1858-1917), Karl Mannheim (1893-1947), Pitirim A. Sorokin (1896-1968) ou Ludwig Fleck (1896-1961) –, é seu arsenal conceitual, sua terminologia e seu programa de pesquisa que se tornaram emblemáticos e centrais durante vários decênios, tanto nos Estados Unidos como na Europa.

1.1 A importância das comunidades científicas

Merton mostra que no século XVII, na Inglaterra, a ciência emerge enquanto subsistema social quase autônomo, distinto dos outros subsistemas sociais tais como a economia, a religião, a política etc. A ciência se institucionaliza sob a forma de estabelecimentos como a *Royal Society* londrina, fundada em 1662, e toma o aspecto de uma comunidade organizada segundo normas e valores específicos, que trabalham em favor de sua demarcação com relação a outros microcosmos sociais. O estabelecimento de "papéis" científicos definidos pelas normas internas da comunidade científica abre-se ao reforço de sua autonomia e facilita o avanço da ciência moderna na Inglaterra.

Merton insiste no fato de que as descobertas experimentais e as teorias científicas, tomadas isoladamente, não constituem condições suficientes do avanço da ciência que fica, segundo ele, subordinado à existência de um conjunto de pré-requisitos sociais. Mesmo se os trabalhos de cientistas do século XVII, tais como Newton e Robert Boyle (1627-1691), representam realizações decisivas da filosofia natural inglesa, mesmo se as descobertas de Newton vão iluminar o caminho de muitas gerações de pesquisadores, tudo isso é insuficiente para que se opere a transformação de um modo de conhecimento em componente intelectual e social estável e central.

Em grande parte do livro, Merton se interessa pelo processo de redistribuição das profissões da *middle class*, redistribuição que, na Inglaterra, parece favorável ao fortalecimento e ao avanço da atividade científica. Uma porcentagem crescente de indivíduos se instala nas profissões intelectuais ligadas às artes, ao direito, à administração, à tecnologia, à medicina ou ainda à cirurgia. Merton insiste, assim, no fato de que a institucionalização da ciência na Inglaterra foi acompanhada de uma profissionalização; a atividade científica foi progressivamente erigida em profissão específica, distinta das atividades circundantes, envolvendo tipos específicos de saberes, de objetivos, de normas, dito de outro modo, articulada segundo papéis particulares. A aparição da profissão científica produziu um *aggiornamento* da divisão do trabalho social e cognitivo, e a autonomia da ciência, pelo menos em parte, está ligada a esse novo dado. Além disso, Merton sublinha que a fundação de organismos, tal como a *Royal Society*, promove a ciência na medida em que participa de sua institucionalização. A *Royal Society* permite, com efeito, que os cientistas disponham de um espaço no qual lhes é possível trocar, expor idéias e debater. É no seio desse tipo de instituição que se estabelecem, pouco a pouco, os procedimentos de entrada na comunidade científica, os modelos de excelência e os protocolos de avaliação.

Deve-se igualmente levar em conta as transformações da economia inglesa. Um conjunto de mercados ligados à tecnologia (transportes marítimos, metalurgia, indústria de mineração, indústria têxtil, material militar) está em expansão no século XVII e essa expansão encontra sua própria origem nas ambições imperialistas da Inglaterra da época. O estudo de Merton das pesquisas apresentadas na *Royal Society* mostra que um número considerável de trabalhos, durante esse período, trata de temáticas ligadas às esferas tecnológicas em expansão. Evidentemente, nota Merton, isso não significa que o mercado econômico seja o único fator sobredeterminante suscetível de explicar as escolhas dos cientistas a respeito dos problemas a pesquisar. Outras considerações, tais como o grau de interesse intrínseco de uma questão, seu estatuto ou ainda as retribuições às quais seu tratamento pode dar direito – principalmente a oportunidade de obter os meios técnicos necessários à resolução de um problema – estão entre os elementos determinantes suscetíveis de pesar na escolha que fazem os pesquisadores, no que concerne aos objetos e matérias de pesquisa.

A passagem mais amplamente evocada da obra magistral de Merton não é, de fato, aquela relativa ao que acaba de ser descrito, mas aos traços característicos do pensamento religioso puritano inglês. Certos valores veiculados pelo puritanismo poderiam ter contribuído para a aceleração do desenvolvimento da ciência nesse país. Entretanto, Merton esclarece prudentemente que o puritanismo não é uma condição social necessária à ciência. Ele revela simplesmente relações de correspondência entre as componentes dessa ideologia puritana e os traços característicos da filosofia natural inglesa, e constata, em acréscimo, que vários dos pais fundadores da *Royal Society* são puritanos praticantes.

Para os puritanos, a ordem da natureza é o reflexo da grandeza de Deus, ela atesta a existência de uma ordem divina. A ciência existe para revelar essa ordem, que é uma manifestação de Deus. Os puritanos insistem no fato de que o rigor, o esforço e o aprendizado constituem as condições do sucesso. O conhecimento está no centro da ideologia puritana como está no centro da ciência. O puritanismo atribui igualmente muito valor à reflexão e à crítica. Contrariamente aos anglicanos e aos católicos, os puritanos julgam que cada indivíduo deve enfrentar-se com a realidade. A autoridade, a ortodoxia e os textos não são seus pontos de referência centrais. É o caso da ciência moderna. Além disso, acrescenta Merton, o apego dos puritanos à noção de realização material, freqüentemente associada à indústria e à tecnologia, parece estar parcialmente ligado ao desenvolvimento da ciência. É o conjunto dessas constatações convergentes que conduziu Merton a ver no puritanismo um ambiente ideológico e cultural no qual a ciência pode facilmente adaptar-se.

Em sua obra de 1938, Merton se atém igualmente aos traços característicos da ciência inglesa do século XVII. Em Londres, a *Royal Society* constituía o centro da comunidade científica, o lugar dos debates e da comunicação científica. Na mesma época, em muitos outros países europeus, aparecem academias de ciências (em 1666, 1700, 1725, 1739 respectivamente para a França, a Prússia, a Rússia e a Suécia). Essas instituições contribuem para organizar e estruturar as trocas científicas nacionais e internacionais. Elas possuem, além disso, um papel regulador para a decisão da avaliação. Decidindo sobre a publicação ou a rejeição de manuscritos, elas se abrem à introdução de critérios de certificação científica e de validação. Graças à atribuição de prêmios e à instauração de um sistema de retribuição, as academias contribuíram para o desenvolvimento de normas, para a ancoragem social dos modelos de excelência e para a instauração de uma hierarquia no interior das comunidades científicas. Pode-se dizer que elas permitiram a emergência das comunidades científicas, no âmbito das quais puderam desenvolver-se normas e práticas específicas. Segundo Merton, é, de modo amplo, a esses elementos que a ciência deve seu estatuto de sistema distinto e relativamente autônomo.

Essa autonomia permite à comunidade científica resistir às influências e intrusões dos atores políticos e econômicos. Enquanto muitas outras esferas de atividades estão sujeitas a pressões sociais que agem como determinismos, a comunidade científica parece, segundo os sociológos diferenciacionistas, menos exposta em virtude do fato de sua estrutura comunitária (cf. Ben-David, 1971; Hagstrom, 1965).

1.2 O *ethos* da ciência

Os membros dessa comunidade assumem quatro papéis sociais: o de pesquisador, o de professor, o de administrador e o de "sentinela" ("*portier*"). A maior parte dos cientistas considera a pesquisa e, em uma medida menor, o ensino como seus principais deveres. Isto posto, as representações da profissão variam segundo a idade e o *status* no seio da comunidade. Muitos jovens cientistas evitam as responsabilidades administrativas ou consideram-nas como um fardo. Inversamente, os pesquisadores *seniors* passam a dedicar-se à administração da pesquisa, pois vêem nisso um mecanismo que tem um papel importante na organização e regulação da comunidade. O papel de sentinela é *compartilhado* por todos e, mais particularmente, pelos cientistas situados no topo da hierarquia. Esse papel consiste em definir a orientação da pesquisa, a avaliação de seus resultados e assegurar um controle dos atores da comunidade. A perenidade da comunidade e de sua legitimidade depende da capacidade de seus membros de preencher honestamente esses diferentes papéis.

Em um artigo de 1942, que se tornou um clássico da sociologia da ciência, Merton identifica um conjunto de normas que ele apresenta como a quintessência da ciência moderna (cf. Merton, 1942). Em um primeiro momento, ele faz um levantamento de quatro normas que constituem o que ele chama o *ethos* da ciência, e que se considera que orientam as práticas dos indivíduos:

• O *universalismo* – esta norma encontra sua expressão no seguinte cânone: a emergência da verdade está ligada à aplicação de critérios impessoais preestabelecidos. A aceitação e a rejeição de proposições científicas não poderiam estar subordinadas à apreciação dos atributos pessoais ou sociais de seus produtores.

• O *comunalismo* – a ciência é uma atividade pública que leva à produção coletiva de bens públicos. Os resultados da ciência circulam livremente entre os indivíduos, os laboratórios e as nações. A retribuição que um cientista obtém por ter produzido resultados válidos é um reconhecimento público. Esses resultados pertencem a toda a comunidade, não àqueles que os produziram. Para dizê-lo de outro modo, a idéia da propriedade intelectual é contrária à norma do comunalismo.

• O *desinteresse* – para Merton, a noção de desinteresse não remete àquela de altruísmo, do mesmo modo que seria errôneo assimilar uma ação interessada ao egoísmo. Simplesmente, os cientistas dedicam-se à procura da verdade. Eles não são movidos por interesses pessoais ou por motivações extracientíficas. Para Merton, os cientistas são honestos, mas essa honestidade está, antes de tudo, ligada ao exercício de um controle público que se poderia qualificar de intersubjetivo.

• O *ceticismo organizado* – os cientistas exercem um ceticismo sustentado relativamente às descobertas e às teorias. Estão preocupados em não se deixar influenciar por suas convicções pessoais quando avaliam os trabalhos de seus colegas. Principalmente, não devem levar em conta a autoridade de pessoas ou de uma ortodoxia qualquer. Além disso, os pesquisadores devem estar abertos e receptivos à crítica.

O universalismo, o comunalismo, o desinteresse e o ceticismo organizado são, segundo Merton, normas que são interiorizadas pelos cientistas, durante seu aprendizado, e são elas que fazem da ciência um sistema social distinto dos outros. Elas estabilizam e regulam o sistema, protegem-no de abusos internos ao mesmo tempo em que asseguram sua autonomia com relação aos microcosmos sociais do entorno; elas são, ademais, homogêneas e uniformes.

Certos sociólogos diferenciacionistas opõem às normas da ciência pura aquelas que, segundo eles, têm lugar nas ciências aplicadas ou industriais (cf. Cotgrove & Box, 1970; Kornhauser, 1962; Stein, 1962; Ziman, 1978). Nesse setor, prevalece a noção de propriedade intelectual, que assume a forma concreta da patente ou do segredo industrial: idéias e técnicas pertencem a uma pessoa ou a uma empresa. Além disso, o conhecimento é local, inscrito em um domínio específico. Enquanto o debate na ciência acadêmica opõe pares iguais no processo de avaliação, o trabalho na ciência industrial inscreve-se em um sistema autoritário de relações, no qual se supõe que os pesquisadores obedecem a ordens e perseguem objetivos prescritos. A temática dos pesquisadores não é, de modo algum, determinada pelos próprios interesses dos pesquisadores ou por um quadro disciplinar. Enfim, o conhecimento toma a forma de uma *expertise* técnica, mobilizada para o fim de resolver problemas a curto termo, muito estritamente definidos e geralmente associados a questões de lucro. Vê-se, assim, como certos sociólogos diferenciacionistas, ao se interessarem pelo *ethos* da ciência, estabeleceram linhas de demarcação em seu interior.

Outros, que operam na via aberta por Merton, revelam de modo similar a variabilidade das normas de um cientista a outro. Os resultados de um estudo célebre (cf. Box & Cotgrove, 1968) mostram, por exemplo, que se certos pesquisadores estão persuadidos a operar de modo consistente e coerente com relação ao sistema normativo identificado por Merton, alguns outros fazem uma representação de seu comportamento como bem mais oportunista – ora em conformidade com as normas, ora em desvio com elas, segundo o contexto – enquanto há ainda outros que afirmam absolutamente não respeitá-las. Uma obra intitulada *O lado subjetivo da ciência*, que apresenta dados sobre o comportamento e as motivações de cientistas participantes do Programa Apolo nos anos 1960, levanta dúvida, de modo ainda mais nítido, sobre a existência do *ethos* científico (cf. Mitroff, 1974). Os pesquisadores mostram-se como indivíduos mais motivados pelo apelo de ganho pessoal e a ambição que pelo desejo de participar do crescimento do conhecimento. Apresentam uma ausência total de espírito crítico com relação a seus próprios resultados enquanto são impiedosos com seus adversários. As quatro normas identificadas por Merton aparecerão, portanto, nessas condições, mais como ideais do que como normas operatórias.

1.3 Ciência e democracia

No artigo já citado de 1942, no qual Merton apresenta, pela primeira vez, o que considera como as componentes do *ethos* científico, figuram igualmente as considerações sobre a estreita ligação que o progresso da ciência mantém com a democracia. A Segunda Guerra Mundial alcançava seu auge e o propósito de Merton consiste, nem mais nem menos, em mostrar que o nazismo e a ciência não podem andar juntos. A constatação será a seguir estendida ao caso do regime soviético. Hoje, sabemos como os dados empíricos contradizem essa tese. A pesquisa continuou a produzir resultados de qualidade na Alemanha entre 1933 e 1945 (cf. Sime, 1996). A ciência soviética revelou-se também bastante produtiva em numerosos campos da física e da matemática (cf. Graham, 1972). Ao sugerir que o *ethos* científico não funciona num certo contexto, Merton pretende afirmar que a autonomia da ciência pode ser posta em causa e que, em certas condições políticas, a comunidade científica não pode senão dobrar-se ao peso das pressões exteriores. O episódio relativo ao caso Lysenko permite, entretanto, pensar o contrário. Se for verdade que a genética mendeliana foi banida dos laboratórios soviéticos até os anos 1950 e que o maior geneticista do país, Vavilov, foi deportado para a Sibéria, não é menos verdade que a seguir, e sempre no contexto totalitário, a doutrina de Lysenko foi abandonada em vista das teses de Mendel. Nesse caso, a comunidade científica, ainda que inscrita em um regime totalitário, continuou a funcionar a despeito dos esforços empregados pelo governo para controlar o trabalho científico; o que, de certo modo, atesta a estabilidade e a força das normas, mesmo quando compreendidas em contextos não-democráticos.

2 As condições de desenvolvimento dos conhecimentos científicos

Sem dúvida, mais do que qualquer outro sociólogo diferenciacionista, Ben-David dedicou-se à importante questão das condições que são subjacentes ao desenvolvimento de novos conhecimentos. Isso é atestado por sua insistência na idéia segundo a qual o aprofundamento dos conhecimentos científicos no curso dos dois últimos séculos está ligado à organização das instituições científicas. A seus olhos, quatro condições são primordiais para que exista crescimento: a autonomia da comunidade científica, a competição entre as instituições e entre as pessoas, a descentralização institucional e o surgimento de especialistas disciplinares. A partir de informações históricas concernentes a Alemanha, França, Inglaterra e Estados Unidos nos séculos XIX e XX, Ben-David mostra como esses elementos se combinam de modo a estimular ou a retardar a elaboração dos conhecimentos em domínios tão diferentes quanto a fisiologia, a psicologia ou a bacteriologia.

Segundo ele, a Alemanha beneficiou-se durante uma boa parte do século XIX das mais propícias condições para o progresso científico em um amplo leque de especialidades. A maior parte dos *Länder* possuía sua universidade e o príncipe de cada principado procurava fazer de sua universidade um farol de conhecimento. Duas das quatro condições do progresso do conhecimento (descentralização e competição) preconizadas por Joseph Ben-David estavam assim reunidas. Essas condições aceleraram a multiplicação das especialidades, o que conduziu, então, ao aumento do número de cadeiras universitárias e a uma acentuação da competição. Esse processo resultou em um crescimento do volume e da qualidade da pesquisa. A institucionalização do conhecimento representa, para Ben-David, a única via que conduz à estabilização dos conhecimentos. Sem ela, as melhores idéias, experiências e teorias estagnam ou periclitam. Se o precursor de uma inovação científica potencialmente rica pode aparecer em qualquer momento histórico ou em quadros sociais bastante variados, os verdadeiros progressos científicos são, ao contrário, resolutamente ancorados em condições institucionais bem determinadas.

2.1 Hibridação dos papéis e emergência das especialidades

Ben-David consagrou uma parte importante de sua carreira a examinar o modo pelo qual a ciência se diferencia em especialidades que podem tomar a forma de disciplinas, de subdisciplinas ou de novos domínios. Segundo ele, uma nova especialidade emerge ao termo de um processo de interação complexo entre duas especialidades existentes. Esse processo, similar a um mecanismo de "hibridação", estaria estreitamente ligado às aspirações dos indivíduos de melhorar sua posição no campo acadêmico, acedendo a um *status* profissional gratificante e integrando um domínio intelectualmente legítimo. É assim que se poderia explicar a gênese de disciplinas como a psicologia, a psicologia especulativa e a psicologia experimental ou ainda a bacteriologia (cf. Ben-David, 1960; Ben-David & Collins, 1966).

Consideraremos aqui o exemplo da psicologia experimental. Essa especialidade desenvolveu-se ao final do século XIX na Alemanha no momento em que as perspectivas de carreira para os jovens pesquisadores em psicologia decresciam em vista de uma diminuição das cadeiras no domínio. Com o fim de aceder a uma posição acadêmica elevada, restava-lhes então a solução de migrar para uma especialidade diferente, mais rica em postos acadêmicos. Nos anos 1870-1880, a filosofia respondia a esse critério. Entretanto, se a entrada na filosofia permitia o acesso a um *status* profissional, punha-se outro problema na medida em que, na época, essa disciplina dispunha de um *status* intelectual inferior àquele da fisiologia, considerada então como um modelo de rigor experimental e de metrologia, em um contexto em que a precisão técnica era cada vez mais valorizada (cf. Olesko, 1991). Como conseguir acumular as vantagens de um *status* profissional elevado e de uma legitimidade intelectual conseqüente?

Segundo Ben-David, a solução residia na criação de uma nova especialidade híbrida. Alguns dos novos ocupantes de cadeiras de filosofia, que haviam sido formados em fisiologia e que se tinham lançado em pesquisas no seio dessa disciplina, transferiram as técnicas e os protocolos experimentais de seu domínio de origem para a filosofia: nasceu assim a psicologia experimental. Os cientistas inscritos nessa nova disciplina podiam desse modo aproveitar a legitimidade intelectual da fisiologia, beneficiando-se, ao mesmo tempo, de um *status* acadêmico sólido.

Ben-David, como bom funcionalista, assimila a criação dessas novas posições a uma criação de "papéis". O processo de hibridação que acaba de ser descrito conduz à aparição de novos papéis profissionais e cognitivos mais vantajosos. Seu mecanismo é simples. Quando um cientista, inscrito em um espaço disciplinar dado, é ameaçado de desclassificação, em vista da situação de concorrência característica do domínio em questão, ele se inclina a migrar para um domínio em que a competição é menos forte. Mas há então forte possibilidade de que o domínio de pesquisa escolhido seja menos prestigioso. As condições para um conflito de papéis estão reunidas, constrangendo o indivíduo a uma inovação: ao invés de escolher a via do abandono do papel – decidindo mudar de disciplina –, o cientista opta por uma estratégia de adaptação dos métodos e das técnicas que ele utilizava em seu domínio de pesquisa inicial ao domínio que ele agora integra. Um novo campo emerge, que explora as questões científicas reformuladas e repensadas no quadro das oportunidades tornadas possíveis pelas condições profissionais favoráveis. Esse é o mecanismo que Ben-David chama de "hibridação dos papéis". O resultado do processo é a institucionalização de um novo domínio que se distingue nitidamente das especialidades iniciais. Ben-David insiste, além disso, sobre esse ponto: o novo campo não pode existir e desenvolver-se a não ser que se distancie das especialidades vizinhas, colocando em evidência sua singularidade. Esse distanciamento passa por um reforço das fronteiras da especialidade, um controle estrito das possibilidades de migração e dos recursos materiais e cognitivos necessários para tornar perene o domínio.

2.2 Institucionalização e desenvolvimento das ciências

Para mostrar melhor as relações que existem entre as condições de crescimento dos conhecimentos e o funcionamento e a organização das instituições, Ben-David procedeu a comparações internacionais. No domínio da pesquisa, a produtividade elevada da Alemanha no século xix e dos Estados Unidos no século xx contrasta com o atraso da França e da Inglaterra nas mesmas épocas. Ben-David atribui a lentidão das pesquisas desses dois últimos países a suas estruturas centralizadas – a dominação da ciência pelas Universidades de Oxford e de Cambridge na Inglaterra, e na França por algumas instituições parisienses tais como a *École Polytechnique*, a *École Normale Supérieure*, a *Sorbonne* e o *Collège de France*. Esse monopólio teria tido como efeito, segundo Ben-David, frear a competição entre as idéias, entre as instituições e entre as pessoas. Ao contrário, a existência de uma profusão de universidades nos Estados Unidos e na Alemanha, correspondente ao sistema de descentralização política, administrativa e econômica, assim como o espírito de competição permitiram a essas duas nações se colocarem à frente do progresso da pesquisa em um grande número de disciplinas.

Entretanto, pelo menos no que concerne à França, os argumentos de Ben-David inscrevem-se mal na realidade histórica. No artigo "*The rise and decline of France as a scientific center*" ("Emergência e declínio da França como centro científico"), Ben-David sugeria que a ciência francesa tinha conhecido um colapso, de 1830 até pelo menos o fim do século XIX, para o qual ele tentava apresentar as causas (cf. Ben-David, 1970). O fracasso da ciência francesa, escrevia ele, é a conseqüência da centralização parisiense e de uma falta de competição. O sistema de acúmulo de cadeiras diminuiu o número de pesquisadores e o estabelecimento da agregação contribuiu para desenhar uma paisagem intelectual muito homogênea, impedindo assim sua criatividade científica.

Um bom número de estudos históricos e sociológicos levanta dúvidas sobre certas conclusões adiantadas por Ben-David. De uma parte, a análise quantitativa da produção na matemática e nas ciências físicas entre 1810 e 1914 (número de artigos e de livros publicados) mostra a existência de flutuações muito importantes na ciência francesa (cf. Shinn, 1979). De outra parte, houve nesse país, durante todo o século XIX, fases de grande centralização e fases de descentralização do sistema de ensino e de pesquisa. Ben-David sustenta a idéia de uma correspondência entre hipercentralização e diminuição da pesquisa. Entretanto, é fácil mostrar que os decênios de grande descentralização vividos pela França às vésperas da Primeira Guerra Mundial não foram períodos de fausto para a ciência do ponto de vista de sua produtividade. O liame entre a descentralização e o progresso científico não é, portanto, tão evidente quanto parece pensar Ben-David. Pode-se constatar historicamente que não existe uma relação linear e mecânica entre esses movimentos de centralização e descentralização do poder e a evolução da produção científica. Assim, os nomes de François Arago (1786-1853), Marcelin Berthelot (1827-1907), Jean-Baptiste Biot (1774-1862), Louis Joseph Gay-Lussac (1778-1850),

Joseph Fourier (1768-1830), Hippolyte Fizeau (1819-1986), Pierre Simon Laplace (1749-1827), Joseph Louis Lagrange (1736-1813) etc. são bem conhecidos. Entretanto, seu trabalho ocorreu em uma época em que a centralização administrativa intensificava-se. No governo de Napoleão Bonaparte, a *École Polytechnique* tinha se tornado, por exemplo, a passagem quase obrigatória para aceder à rede das grandes escolas, para a admissão na *École des Mines*, na *École de Ponts e Chaussées*, na *École d'Artillerie*, na *École de Génie Militaire* ou, ainda, para a admissão no grande corpo do Estado e para o acesso às posições elevadas da hierarquia militar. Em 1808, o imperador promove um movimento muito forte de centralização do ensino secundário e superior.

Entre 1830 e 1870, como indica Ben-David, o movimento de centralização reforça-se ainda mais, tanto no ensino como na pesquisa, e, paralelamente, diminui a produtividade científica. Os decênios 1880 e 1890 são os do renascimento no plano científico e nota-se, também aqui, que Ben-David tem razão, pois nessa época desenvolve-se um movimento significativo de descentralização. As universidades francesas progressivamente adquirem um pouco de autonomia administrativa e financeira. As faculdades de ciências adquirem o gosto por certa liberdade nos procedimentos de recrutamento e de promoção. Elas têm a possibilidade de receber verbas das autoridades municipais e regionais, sem a intervenção do poder central. Elas podem igualmente buscar a indústria e assinar acordos contratuais com as empresas. Pela primeira vez, as faculdades do interior têm o direito de criar cadeiras e cursos sem consultar de antemão o poder central. Durante esses vinte anos, as faculdades vão criar numerosos laboratórios de pesquisa, freqüentemente em relação com a indústria. Organiza-se um equilíbrio entre as iniciativas e financiamentos públicos (ministeriais, regionais e municipais) e a iniciativa privada (cf. Shinn, 1979; Nye, 1986; Paul, 1985).

Contudo, esse equilíbrio é rompido durante o decênio que precede a Primeira Guerra Mundial, seja no domínio da pesquisa pura, seja no da pesquisa aplicada. Durante esses dez anos, a produção e a produtividade da pesquisa universitária ficam estagnadas em certos domínios e reduzem-se em outros. Os fundos procedentes do governo diminuem de ano para ano, no momento em que o orçamento militar aumenta. A França e a Alemanha são rivais no plano colonial; isso explica que o Exército e, muito particularmente, a Marinha recebam a atribuição de uma parte sempre crescente do orçamento nacional. A situação se degrada à medida que crescem as tensões entre a Alemanha e a Áustria de um lado, a Grã-Bretanha, a França e a Rússia de outro. O governo francês espera que a indústria compense o desengajamento do Estado com relação à ciência e às universidades, o que acontece em parte. Com efeito, certas empresas mantêm seus compromissos, exigindo como contrapartida que as faculdades de ciências e seus pesquisadores se interessem pelos problemas técnicos de curto prazo e ocupem-se da formação de técnicos de nível intermediário. Contudo, em muitos casos, as empresas reduzem seu apoio financeiro às faculdades, a fim de conservar fundos, nesses tempos de grande incerteza. Pode-se assim dizer que, durante o período 1900-1914, as universidades francesas foram abandonadas pelo Estado e deixadas constantemente à mercê dos interesses de empresas regionais. Vê-se aqui, a partir do caso da França, que, contrariamente às afirmações de Ben-David, as relações entre a produtividade da pesquisa e os movimentos de descentralização/centralização são complexas e que não existem relações de determinação mecânica entre a descentralização e a produtividade científica. A descentralização em si mesma não é, portanto, a panacéia.

O debate sobre o enfraquecimento da pesquisa francesa e os efeitos da centralização permanece na atualidade. Contudo, as análises contemporâneas que tratam das relações entre a produtividade na pesquisa e o funcionamento institucional combinam com freqüência o questionamento do estatuto dos pesquisadores e a denúncia da falta de recursos.

Em 2004, o relatório do *Observatoire des Sciences et des Technologies* (OST), que reúne os principais indicadores descritivos da situação da ciência na França e no mundo, vem confirmar a baixa do desempenho científico e tecnológico do país (cf. OST, 2004). Se a França continua classificada em quinto lugar entre os países "produtores" de ciência, com 5,1% das publicações científicas, esse requisito sofreu uma queda relativa depois de 1998, quando ele era de 5,4%. Além disso, na escala européia, a França contribuiu em 2001 com 15,4 % para a pesquisa na comunidade européia, ou seja, uma média em baixa relativa de 5 pontos. O relatório da OST revela que as despesas internas francesas para a pesquisa e o desenvolvimento (P&D) são de 33,6 bilhões de euros em 2001 (incluindo setor público e privado), ou seja, 2,23% do produto interno bruto em 2001, contra 2,45% em 1993. No mesmo momento, a Alemanha consagrou 48 bilhões de euros para P&D (ou seja, 2,51% de seu PIB), mas, inversamente, o Reino Unido não investiu mais do que 26 bilhões de euros em P&D, ou seja, 1,89% de seu PIB, produzindo, entretanto, 7,5% das publicações científicas mundiais!

Assim, o problema não é unicamente de ordem financeira e parece antes ligado à política dos governos, às estratégias institucionais e à própria organização da pesquisa. Em 1981, em um relatório sobre a situação da ciência na França, o renomado matemático francês Laurent Schwartz afirma que três fatores explicam a fraqueza da França em matéria de pesquisa. Em primeiro lugar, a decisão de funcionarizar os pesquisadores do *Centre National de la Recherche Scientifique* (CNRS) teria reforçado sua imobilidade geográfica e intelectual. No momento do recrutamento, não existiria nenhum mecanismo que permitisse retificar os erros da seleção ou incitar os indivíduos a migrar para campos de pesquisa novos e interessantes. O *status* de funcionário seria uma verdadeira armadura contra eventuais sanções. Em segundo lugar, as universidades têm normalmente dotações muito pequenas. O orçamento alocado para os estudantes nas escolas preparatórias é duas vezes superior àquele alocado nas universidades. Poucas universidades possuem uma biblioteca digna desse nome; além disso, os escritórios são, geralmente, muito pouco equipados e os laboratórios dispõem em geral de um espaço reduzido. Em terceiro lugar, o sistema das grandes escolas francesas chama atenção para o potencial nacional de pesquisa, fornecendo uma formação de qualidade aos estudantes, geralmente considerados brilhantes, que não se destinam à pesquisa, mas à ocupação de postos de direção na administração ou na economia (cf. Schwartz, 1982). Se excetuarmos a *École Normale Supérieure* e a *École Supérieure de Physique et de Chimie Industrielle* de Paris, as grandes escolas, ditas "científicas e técnicas", operariam a cada ano cortes claros no potencial de pesquisa francês.

Segundo o redator-chefe de *La Recherche*, a universidade francesa seria "infantilizada" e "empobrecida" (cf. Postel-Vinay, 2002). Ela seria vítima de uma centralização destruidora, que "fixa" os assalariados, impõe cargas de cursos sem preocupar-se com as performances em matéria de pesquisa, tornando a inovação difícil. As universidades praticariam regularmente o "incesto": perto de 40% dos universitários foram formados no seio da universidade onde ensinam e 60% ficam no mesmo lugar durante toda sua carreira. A pesquisa de qualidade é amplamente produzida fora da universidade, seja em estabelecimentos como o CNRS, seja em laboratórios que escapam, em parte, ao controle das universidades – principalmente no interior de equipes associadas ao CNRS. Sempre segundo o redator-chefe de *La Recherche*, a ciência na França está desprovida de um sistema rigoroso de avaliação. Os recrutamentos universitários efetuar-se-iam com base na cooptação e no clientelismo. Quanto aos projetos de pesquisa, eles sofreriam de um mal análogo. Enfim, as práticas de avaliação independentes e internacionais seriam raras. Na Suíça, por exemplo, um jovem pesquisador não pode ser recrutado senão após uma publicação internacional e não pode tornar-se pesquisador permanente senão após ter feito suas provas. Ele deve procurar por si mesmo financiamento junto a organizações nacionais e internacionais. Se suas pesquisas são objeto de uma avaliação negativa, ele deixa de obter financiamentos e passa a correr o risco de sanções. Ele tem então a possibilidade de integrar uma instituição menos prestigiosa ou demitir-se. Esse cenário, deplora o redator-chefe de *La Recherche*, é impossível na França, onde o sistema universitário garantiria a todos, mesmo aos indivíduos improdutivos, uma renda por toda a vida. Enfim, sabe-se hoje em dia que as inovações técnicas freqüentemente estão enquadradas nas pequenas e médias empresas (PME). Aqui também, as universidades erram de alvo, preferindo privilegiar as relações com as grandes empresas.

Tendo em conta a orientação e o alcance de seus trabalhos, não é nada surpreendente que Ben-David se engajasse ativamente na esfera da política da ciência. As recomendações propostas por ele junto à Organização para a Cooperação e Desenvolvimento Econômico (OCDE), durante os anos 1960 e 1970, são instrutivas. Para Ben-David, a política mais desejável consiste em evitar todo intervencionismo. É preciso, a qualquer preço, guardar-se de planificar a ciência, o que, para ele, é sempre vetor de ineficácia. Ele condena, a esse respeito, a política do que ainda era a URSS e da França, que procuram coordenar e dirigir as atividades científicas de seus pesquisadores. Ao contrário, os Estados Unidos são citados como exemplo e constituem, segundo ele, o modelo a ser seguido. Na América, pretende Ben-David, a comunidade científica é totalmente livre para decidir a direção, a quantidade e a qualidade do ensino e da pesquisa. Nessa comunidade, existe uma espécie de livre mercado de oferta e procura, que assegura a esperança de progresso. Ben-David sublinha, ademais, o papel menor desempenhado pelo Estado nos EUA, papel que ele gostaria de ver ainda diminuído.[1] Além disso, é interessante notar que Ben-David utiliza o caso americano como ponto de referência quando desenvolve suas recomendações sobre as relações que devem existir entre o ensino e a pesquisa. Ele deplora uma vez mais a situação da França e da URSS, onde se pode encontrar uma divisão de trabalho institucionalizada entre as funções pedagógicas e o exercício da pesquisa (de um lado, as universidades e, de outro, as Academias de Ciências na URSS e o CNRS, o *Commissariat à l'Énergie Atomique*, CEA, etc. na França) (cf. Shinn, 1998). Para Ben-David, o único sistema válido é um sistema que permite a fusão indivisível entre o ensino e a pesquisa.

Pode-se perguntar em que medida as recomendações de Ben-David para a política de pesquisa não são animadas, de saída, por suas convicções pessoais e menos por uma metodologia rigorosa articulada a um olhar crítico. A referência ao livre mercado capitalista é onipresente em sua sociolo-

---

1 Um bom número de trabalhos recentes de história e de sociologia mostra, ao contrário, o enorme papel desempenhado pelo governo americano na evolução da ciência (cf. Etzkowitz, 1998; Heilbron & Seidel, 1989; Kevles, 1978; Noble, 1977).

gia da ciência. Ben-David, além disso, era muito próximo do sociólogo liberal Edward Shils, que trabalhava na Universidade de Chicago, onde ele próprio passou uma parte importante de sua vida profissional. Ele mantinha igualmente ligações estreitas com os cientistas liberais da Universidade de Stanford (cf. Ben-David, 1997). Não é, portanto, surpreendente que ele se tenha tornado, de certo modo, o advogado de uma forma de liberalização da ciência.

A despeito de sua ligação com a ideologia liberal e de sua admiração pela ciência americana, Ben-David omite a referência a uma componente fundamental da pesquisa nos Estados Unidos, que se pode encontrar também na Alemanha: trata-se da pesquisa tecnológica e dos liames que existem entre a indústria, a tecnologia e a ciência. Com efeito, ele silencia sobre as contribuições à ciência alemã vindas da *Physikalisch Technische Reichsanstalt*, do *Kaiser Wilhelm Institut*, das *Technische Hochschulen*, da *Deutsche Gesellschaft für Mechanik und Optik* e dos laboratórios de pesquisa da Zeiss, da Bayer e de outras indústrias (cf. Cahan, 1989; Lundgreen *et al.*, 1986; Meyer-Thurow, 1982; Shinn, 2001a). Como Ben-David não viu que no sistema americano de produção de conhecimentos, muito ligado aos interesses da indústria, a pesquisa universitária não é sempre, nem necessariamente, independente? Que ela está até mesmo, por vezes, fortemente ligada à tecnologia e às empresas (cf. Chandler, 1977; Reich, 1985)?

Pode-se interpretar essa recusa de levar em consideração as relações entre a indústria e a ciência como índice de uma tensão entre o liberalismo do pensamento de Ben-David e a convicção de que a ciência deve ser independente para permanecer eficaz. A comunidade científica resta, para Ben-David, como um sistema diferenciado e hermeticamente fechado às perturbações exógenas, um espaço que perderia sua eficácia se perdesse sua autonomia.

Para Ben-David, assim como para Merton, a existência da ciência depende da manutenção da comunidade científica, comunidade que deve permanecer autônoma a qualquer custo. Entretanto, Ben-David não explica a gênese dessa comunidade a partir de um plano ideológico subjacente; para ele, sua origem deve ser procurada no funcionamento da universidade medieval, onde os professores conseguiram criar um espaço autônomo e livre entre a igreja, o Estado, as corporações e outros grupos, o que lhes permitiu continuar sua exploração do mundo natural em completa independência. A tese de Merton, segundo a qual o puritanismo seria uma das condições de emergência da comunidade científica, era, para Ben-David, ao mesmo tempo falsa e perigosa. A eficácia da ciência e seu progresso, afirma Ben-David, dependem de sua manutenção enquanto subsistema social livre de interferências exógenas, e todo projeto contrário não pode senão revelar-se prejudicial ao progresso científico. Essa insistência sobre a autonomia da comunidade científica, sobre sua demarcação e sua especificidade, é uma das razões que fizeram de Ben-David um adversário constante da corrente antidiferenciacionista (ver o Capítulo 2), que recusa a idéia de que possa existir uma distinção entre ciência e não-ciência.

3 Estratificação nas ciências e cientometria

A sociologia diferenciacionista não está unicamente preocupada com os processos de diferenciação horizontal da ciência em territórios disciplinares e profissionais; ela se dedicou igualmente aos problemas de estratificação nas ciências e interrogou-se acerca da existência de desigualdades manifestas entre os cientistas do ponto de vista da notoriedade e da produtividade.

O interesse dos mertonianos por essas questões é tudo menos fortuito, tendo em vista o caráter funcionalista de sua sociologia: de um lado, o sistema social funciona de modo não conflituoso; de outro, desenvolve-se um saber científico sobre o qual o sociólogo nada tem a dizer e que encarna a cientificidade. Essa concepção simples e coerente tem efeitos não apenas sobre o modo pelo qual a estrutura social da ciência é analisada pelos funcionalistas, mas igualmente na seleção que operam dos objetos de pesquisa. Não é, pois, surpreendente que eles se tenham dedicado a desenvolver, pouco ou muito, uma sociologia da notoriedade científica, na medida em que a busca por reconhecimento é uma fonte potencial de tensões no seio da estrutura social da ciência. O reconhecimento, com efeito, pode pôr em causa as normas do desinteresse e do comunalismo – a reivindicação da paternidade de um axioma ou de uma teoria é uma dimensão dessa procura por reconhecimento.

Essas reflexões em torno da notoriedade fornecem uma ocasião para insistir sobre os liames estreitos que unem as análises funcionalistas dos processos de estratificação à cientometria, especialidade que reagrupa "as pesquisas quantitativas de todas as coisas concernentes à ciência e às quais se pode fixar números" (cf. De Solla Price, 1969). Essa disciplina, muito ligada à bibliometria, que Alan Pritchard definiu como "a aplicação das matemáticas e dos métodos estatísticos aos livros, artigos e outros meios de comunicação" (cf. Pritchard, 1969), produziu um certo número de instrumentos de medida pelos quais convém interessar-se. A cientometria, da qual a sociologia funcionalista emprestou os instrumentos, partilha com ela, além disso, um certo número de postulados e pode ser lida a esse título como um puro produto do diferenciacionismo.

3.1 Notoriedade científica e produtividade no sistema mertoniano

Sociólogos, tais como Zuckerman, Stephen e Jonathan Cole ou ainda Jerry Gaston lançar-se-ão em toda uma série de enquetes sobre a questão da notoriedade e da produtividade. Os cientistas não são manifestamente iguais nos dois planos.

Stephen e Jonathan Cole consagraram uma grande parte de suas carreiras à exploração dos fenômenos de notoriedade sob uma ótica mertoniana. Em 1967, eles redigem um artigo, que se tornou depois um clássico da sociologia da ciência, relativo às questões da produtividade científica e do reconhecimento (Cole & Cole, 1967). Sua enquete abrangeu 120 físicos universitários e permitiu-lhes estabelecer uma forte relação entre a qualidade (medida pelo número de citações recebidas) e o volume de produção desses físicos. Eles apontam, igualmente, para a existência de dois modos de produção científica: certos pesquisadores escrevem muitos artigos sem grande interesse e outros, poucos artigos de grande interesse. Como a comunidade de físicos se posiciona com relação a esses dois modos de produção? Os resultados da enquete mostram que a qualidade pesa aparentemente mais que a quantidade na obtenção de um reconhecimento da comunidade (obtenção de prêmio, de postos em universidades prestigiosas, notoriedade acadêmica), como se o sistema de recompensa trabalhasse reforçando um modelo de produtor, o "criativo". Não trabalha, contudo, da mesma maneira em todos os departamentos de física; parece, em especial, que, tendencialmente, a quantidade de publicações seria um critério prevalente nos departamentos menos prestigiosos e que a qualidade das publicações constituiria um critério prevalente nos departamentos mais cotados. A remuneração simbólica iria, portanto, para aqueles que a merecem.

Em outro artigo, os mesmos autores persistem em suas análises da meritocracia científica (Cole & Cole, 1968), propondo-se mostrar que uma das condições para que o sistema de recompensa seja operacional está claramente presente: trata-se do bom funcionamento do sistema de comunicação. Para esse fim, os autores propõem distinguir a visibilidade (*visibility*), que designa a capacidade de ser visto, da capacidade de reconhecer o outro (*awareness*). Os resultados obtidos estão, de fato, bastante ligados ao ponto de vista teórico desses dois autores. A partir de uma amostra estratificada de 120 físicos,[2] os Cole mostram, por meio de técnicas estatísticas comprovadas, que a visibilidade de um pesquisador é fortemente influenciada por quatro fatores: a qualidade do trabalho (tal como medida pelo escore de citações), o número de recompensas recebidas por sua contribuição à física, o prestígio do departamento de pertencimento e a especialidade. Ao contrário, no caso de co-autoria, a produtividade, a idade e o nível ocupado não possuem impacto real. No que concerne à capacidade de reconhecer, a constatação estabelecida pelos Cole resume-se bastante bem em uma fórmula: aparentemente, a competência é distribuída da melhor maneira possível nas ciências físicas, pois ela é forte em todos os setores ocupados pelos indivíduos da amostra. O sistema de comunicação funciona bem: os indivíduos partilham a mesma capacidade de reconhecimento e usam-na, aparentemente, em função de critérios de qualidade (qualidade da produção, qualidade do departamento de pertencimento e qualidade dos autores).

---

2 As dimensões retidas quando ocorre o processo de estratificação são a idade, o grau de prestígio do departamento de pertencimento, a produtividade e o número de recompensas honrosas obtidas.

A lógica funcionalista dessas análises alcança dois resultados. Em primeiro lugar, o próprio estatuto da notoriedade encontra-se modificado: no início, simples indicador de cientificidade, a notoriedade torna-se, pouco a pouco, uma garantia incontestável de qualidade. Além disso, a notoriedade não é realmente estudada por si mesma. Considerada como um instrumento de análise do sistema de recompensa, ela é, nos estudos dos mertonianos, assimilada a uma caixa preta: a notoriedade aparece como uma espécie de dote simbólico, com o qual se pode medir a importância relativa por meio de indicadores quantitativos; ela não é, de modo algum, considerada sob o ângulo de um processo social a explicar. Assim, ainda hoje, esse fenômeno, que é considerado como central para a compreensão da atividade científica, permanece amplamente mal conhecido (cf. Ragouet, 2000).

No prolongamento desses trabalhos, Merton escreveu, no início dos anos 1970, um artigo sintético retomando certas realizações dos estudos sobre a notoriedade e o sistema de recompensa, em particular, os estudos de Crane, Hagstrom, Storer, Zuckerman ou ainda dos Cole. Ele desenvolve o que chama "efeito Mateus", que ele define assim:

> No sistema de estratificação da honra na ciência, é possível que um efeito em cadeia se deflagre no curso das carreiras dos cientistas, de tal modo que, após ter atingido certo grau de eminência, eles não caem ulteriormente para um nível mais baixo (ainda que possam estar distantes dos recém-chegados e mesmo quando possam assistir a certo declínio de seu prestígio) (Merton, 1973, p. 442).[3]

---

3 Essa denominação origina-se da leitura da parábola dos talentos que figura no Evangelho segundo São Mateus: "Porque a todo o que tem se lhe dará, e terá em abundância; mas ao que não tem, até o que tem lhe será tirado" (Mateus, 25, 29; trad. de João Ferreira de Almeida).

Dito de outro modo, existiria de fato uma desigualdade entre os cientistas diante do reconhecimento, engendrada pelo próprio reconhecimento. Esse efeito aparece no caso das co-autorias – o mais conhecido capta mais crédito do que os outros – e no caso de descobertas múltiplas – o mais conhecido recebe o reconhecimento primeiro.

Merton estuda o impacto do efeito Mateus no sistema de comunicação. A hipótese que ele defende é que uma contribuição científica possui uma visibilidade maior quando ela é introduzida por um cientista no topo da hierarquia; assim, o efeito Mateus pode revelar-se disfuncional para certas carreiras, penalizando certos cientistas. Entretanto, quando há colaboração ou descobertas múltiplas, o efeito Mateus pode contribuir para o crescimento da visibilidade de novas comunicações científicas. Merton desenvolve assim toda uma argumentação tendente a confirmar o caráter funcional do efeito Mateus, em particular, no plano do progresso. Como o progresso da ciência implica a comunicação das idéias, o efeito Mateus favoreceria a publicação de cientistas eminentes e contribuiria para uma aceleração da circulação de trabalhos de primeiro plano. O desenvolvimento da ciência encontrar-se-ia dessa maneira facilitado.

Essa tese, desenvolvida em 1968, ainda chamada "teoria das vantagens cumulativas", suscitou grande número de trabalhos (cf. Blau, 1976; Allison *et al.*, 1982). Ela influenciou principalmente o trabalho de Derek De Solla Price, considerado como um dos pais fundadores da cientometria.

Cabe notar aqui, ainda que de passagem, até que ponto a sociologia diferenciacionista da ciência esposa uma concepção produtivista e "economicista" da ciência. Com efeito, trata-se de uma característica própria da sociologia da ciência em geral, que deveria ser estudada mais amplamente. A ciência não é redutível à produção científica, ela remete a um número importante de atividades, tais como a avaliação de manuscritos, a procura por financiamento, a organização de colóquios, seminários ou grupos de pesquisa, a divulgação. É forçoso constatar, entretanto, que a maior parte dos sociólogos da ciência concentrou suas análises unicamente sobre a "produção" científica a ponto de reduzir a ela, em geral inconscientemente, a "atividade" científica.

3.2 Estratificação e cientometria: as contribuições de Derek De Solla Price e de Eugen Garfield

O trabalho de De Solla Price revela claramente a que ponto a cientometria é solidária das práticas bibliométricas (De Solla Price, 1963). Ele, com efeito, apoiou-se amplamente sobre toda uma série de pesquisas bibliométricas que, nos anos 1950 e 1960, conheceram uma expansão bastante forte. Por quê? Porque, em um contexto de desenvolvimento exponencial das atividades científicas, a indexação das produções científicas começa a pôr-se como questão para os documentalistas.

O aporte de De Solla Price à cientometria pode ser resumido em três pontos. Ele estabeleceu, em primeiro lugar, que, para um período longo, o desenvolvimento da atividade científica é regular e segue uma curva de crescimento exponencial. Essa lei, estabelecida utilizando como indicadores o número de periódicos e de artigos científicos, mas também os resumos, corresponde, segundo De Solla Price, ao desenvolvimento da ciência ocidental depois do século XVII. De Solla Price assinala, entretanto, que a ciência não se desenvolve em bloco. Além disso, e esse é seu segundo aporte, ele mostra que esse crescimento exponencial vai diminuindo até chegar ao teto. O terceiro aporte de De Solla Price é ter mostrado que a comunidade científica está cindida em uma elite que publica a maioria dos artigos e uma massa de cientistas que produz um pequeno número de artigos. De Solla Price consegue assim estabelecer a extrema desigualdade dos pesquisadores em matéria de produtividade.

Para além de seu acordo com a hipótese mertoniana do efeito Mateus, De Solla Price parece convergir com o funcionalismo mertoniano em pelo menos outros dois pontos: o fato de que está excluída, para um praticante da cientometria, a possibilidade de discutir o conteúdo da ciência, de interessar-se pelo processo de descoberta e pelo trabalho concreto dos praticantes, e o postulado segundo o qual a ciência é redutível a uma entidade autônoma que se pode estudar objetivamente ou, para retomar a própria imagem de De Solla Price, "como um gás" (De Solla Price, 1963).

Paralelamente a De Solla Price, Eugene Garfield, consultor em questões de informação, desenvolve a idéia de um índice de citações. Em 1958, ele cria um instituto privado na Filadélfia, o *Institute for Scientific Information* (ISI), com o apoio da administração americana de pesquisa, mas igualmente com o apoio benevolente de sociólogos como Merton, que vêem novas possibilidades de mensuração no projeto de um índice de citações (cf. Heilbron, 2002). Em 1963, é publicado o primeiro volume do *Science Citation Index*. Uma série do índice concernente mais especificamente às ciências sociais começa a ser publicada em 1970.

Na continuidade da aparição do *Science Citation Index*, o ISI desenvolve toda uma bateria de indicadores a partir dos escores de citações. Um dos mais conhecidos é o "fator de impacto", que dá conta, para cada revista, do número médio de citações recebidas em dois anos pelos artigos que nela são publicados; dispõe-se, assim, de uma estimativa aproximada da visibilidade provável de um artigo da revista. A partir dessa origem, na qual era tomado em uma ótica puramente bibliométrica, o fator de impacto tornou-se progressivamente um instrumento de decisão, não apenas para os pesquisadores em suas estratégias de publicação, mas igualmente para as instituições de pesquisa, em suas políticas de recrutamento. A partir de 1975, a publicação dos fatores de impacto de todas as publicações referenciadas nos índices de citações contribui para uma objetivação da hierarquia das revistas e para uma estabilização da escala de prestígio (cf. Pontille, 2002). A cientometria aparece, desse modo, tanto como instrumento de medida, quanto como instrumento de gestão dos processos de estratificação nas ciências. Melhor, ela é um instrumento de classificação indispensável, que permite elaborar os sistemas de avaliação das universidades, dos laboratórios de pesquisa, das revistas, dos indivíduos e das ciências nacionais.

Se De Solla Price e Garfield podem, de muitas maneiras, ser considerados como os pais fundadores da cientometria, não é menos verdade que essa especialidade deve muito, igualmente, ao organismo internacional OCDE. Foi, com efeito, essa instituição que contribuiu amplamente para a difusão e a estandardização das técnicas de mensuração das atividades científicas.

3.3 A medida da ciência e o funcionalismo

A partir de 1964, a OCDE lança uma série de estudos sobre as políticas científicas. Eles serão seguidos de uma síntese monumental que aparecerá no início dos anos 1970, sob o título *The research system* (*O sistema de pesquisa*). Esse trabalho será continuado nos anos 1980 e 1990 (cf. Godin, 2004).

O modelo no qual repousa a cientometria é o do "*inputs/outputs*" ("entradas/resultados"). A ciência funciona porque são realizados investimentos que permitem o desdobramento das atividades científicas (*inputs*). Estas produzem resultados que são suscetíveis de ter impacto (*outputs*). A estatística oficial da ciência centrou-se durante muito tempo sobre a mensuração de *inputs*. Outros provedores em estatística sobre a ciência (as empresas e os próprios universitários) concentraram-se mais na mensuração de *outputs*; hoje em dia, esses impactos são amplamente levados em consideração (cf. Godin & Ratel, 1999).

Cabe perguntar quais são as razões pelas quais a estatística oficial concedeu durante tanto tempo um privilégio à mensuração de *inputs*. Não há dúvida de que é preciso ver nisso a influência de uma ideologia particular, e mais precisamente de uma concepção da ciência que repousa sobre duas teses. A primeira é a idéia da autonomia universitária – os pesquisadores universitários são livres e as universidades autônomas. A segunda assimila a ciência à pesquisa "pura" – a ciência é um bem público que não pertence àqueles que o produzem. Essa ideologia, que não deixa de lembrar certos aspectos da sociologia funcionalista, teve dois efeitos práticos: pôr em novo centro as enquetes governamentais sobre P&D industrial e sobre P&D governamental; revelar o caráter inoportuno, aos olhos dos governantes, da medição dos resultados da pesquisa universitária, na medida em que seus resultados de P&D não são produtos como os outros e devido à falta de métodos pertinentes para medir as atividades dos próprios pesquisadores. Pode-se igualmente ler esse fato como uma conseqüência da aplicação cada vez mais geral dos modelos econômicos de previsão, assentados na mão-de-obra e nos recursos investidos, o que conduziu a considerar os *inputs* antes que os *outputs*. De imediato, o sistema de medida da ciência tornou-se complexo. Ao lado dos atores supranacionais, tais como a OCDE, apareceram outros produtores de estatísticas: as organizações estatísticas nacionais, as instâncias ministeriais, as agências ligadas ao campo da ciência e da tecnologia (tais como o *Observatoire de la Science et de la Technologie* na França), os pesquisadores universitários (o *Centre de Sociologie de l'Innovation* na França ou o *Observatoire des Sciences et des Technologies* no Québec) e as empresas (como o *Institute of Scientific Information* nos Estados Unidos). Cada um desses atores arrogou-se um papel no campo da cientometria: os ministérios e as organizações estatísticas nacionais procedem à medida de *inputs* a partir de enquetes, a fim de produzir dados suscetíveis de ajudá-los a tomar decisões em matéria de política científica; os universitários e as firmas privadas procedem à medida de *outputs* a partir de dados provindos de bancos produzidos para outros fins (principalmente bibliográficos).

Essa divisão de tarefas encontra-se, hoje em dia, em vias de transformação conforme evoluem as preocupações dos governos. A medida dos impactos está na ordem do dia. Se as políticas científicas eram assimiláveis, há alguns anos, a políticas para a ciência, parece que se tornaram políticas obcecadas pela instrumentação da ciência: esta deve servir a objetivos econômicos de curto prazo. Os financiamentos devem ser alocados para os atores científicos que contribuem rapidamente para o aumento do PIB. O objetivo de controlar tornou-se prevalente e os aspectos ideológicos sublinhados acima foram substituídos por outros, mas isso não diminui o fato de que a cientometria é historicamente um produto do diferenciacionismo.

4 Do empirismo lógico a Thomas Kuhn: em direção a uma fragilização do fundamento diferenciacionista

Para Merton, a sociologia da ciência nada tem a dizer sobre os conteúdos cognitivos, objeto cuja análise é da alçada da epistemologia. O sociólogo americano prega, assim, em favor de uma espécie de divisão do trabalho entre a epistemologia e a sociologia: esta se debruça sobre as questões relativas à organização social das ciências e aquela sobre os conteúdos. No momento em que Merton desenvolve sua abordagem, uma corrente filosófica particular prevalece nos Estados Unidos, a do empirismo lógico. Essa perspectiva, nascida no início dos anos 1920 em Viena, sob o impulso de Moritz Schlick (1882-1936), tem como objetivo renovar totalmente a filosofia da ciência, postulando:

(1) a necessidade de unificar a ciência na linguagem e nos fatos;
(2) a necessidade de reduzir a filosofia a uma crítica da ciência;
(3) a necessidade de desembaraçar-se da metafísica.

Os partidários dessa abordagem – dentre os quais Rudolph Carnap (1881-1970), Kurt Gödel (1906-1978), Karl Menger (1902-1986), Otto Neurath (1882-1945) – são favoráveis a um *empirismo* radical (somente os fatos experimentados cientificamente e expressos em um formalismo rigoroso são portadores de sentido). Eles se interessam prioritariamente pelo conteúdo *lógico* das teorias e são favoráveis a certo *indutivismo*.

A partir dos anos 1950 e 1960, esse magistério da Escola de Viena é cada vez mais contestado por filósofos dos países anglo-saxões. Alguns deles permanecem resolutamente no terreno da lógica, tais como Karl Popper (1902-1994) ou Willard Van Orman Quine (1908-2000). Outros, ao contrário, tais como o historiador da ciência Thomas S. Kuhn (1922-1996), sensibilizados pelos trabalhos da tradição francesa de filosofia da ciência, encarnada por Gaston Bachelard (1884-1962) e Alexandre Koyré (1892-1964), mobilizam a história da ciência a fim de explicar a dinâmica da ciência não mais simplesmente de um ponto de vista cognitivo, mas levando em conta fatores sociais. Se Kuhn não é o único a ter tido essa posição, entretanto, é seu trabalho, *The structure of scientific revolutions* (*A estrutura das revoluções científicas*), que geralmente é considerado como emblemático dessa abordagem.

Foi em 1962 que veio à luz a versão original desse livro. Um dos principais aspectos de sua análise é o caráter descontínuo de sua concepção do progresso científico. A ciência não progride por acumulação, mas por rupturas. Nesse ponto, essa visão liga-se a Koyré, que considerava que a ciência não evoluía de modo contínuo, mas via sua história cindida por rupturas no plano conceitual. Além disso, Koyré se empenhava em apreender as atividades de teorização científica em toda sua espessura, levando em conta seu pano de fundo metafísico e as cosmologias sociais que lhes são subjacentes. Kuhn retomará por sua conta esta tese. Para ele, igualmente, as teorias e as crenças sociais estão organicamente ligadas, a tal ponto que toda transformação das crenças sociais e do olhar que dirigem ao mundo traduz-se em uma transformação das teorias. A fim de ilustrar sua tese, Kuhn utiliza, em particular, uma metáfora emprestada à psicologia da percepção: ele convida o leitor a observar um desenho que, sob um ângulo, parece representar um pato e, sob outro, um coelho. O fenômeno é transportável para a ciência. Cada período é caracterizado por um conjunto de crenças sociais portadoras de um ponto de vista sobre a natureza. O cientista retira dela uma representação teórica particular do mundo; esta muda, se muda o ponto de vista.

4.1 As noções de "paradigma" e de "ciência normal"

Segundo Kuhn, os homens de ciência vivem, portanto, em mundos sociocognitivos. Esses universos são chamados "paradigmas" e a história da ciência deve ser apreendida como uma seqüência de rupturas paradigmáticas. A passagem da visão ptolomaica à visão copernicana do mundo é um bom exemplo de revolução paradigmática. Na representação ptolomaica, a Terra é o centro do universo (tese geocêntrica). Essa maneira de ver alimenta-se de textos antigos, que asseguram certa estabilidade social e que se supõe descreverem adequadamente a estrutura do mundo físico. No Renascimento, não são mais os textos antigos e sagrados que são referência na formulação das leis físicas, mas a experiência e a observação. A medida e o cálculo constituem, de agora em diante, o solo das crenças. É precisamente nesse contexto social que Copérnico vai elaborar sua abordagem heliocêntrica, sem que os dados observacionais tenham, entretanto, aportado novidades fundamentais.

A passagem do paradigma da mecânica newtoniana ao da mecânica quântica e da física relativista fornece outros exemplos de revolução paradigmática. Em todo caso, são os exemplos mais freqüentes evocados e melhor argumentados por Kuhn.

O conceito de paradigma é inseparável do de ciência "normal". Se, para o filósofo austríaco Popper, a ciência é uma atividade crítica caracterizada por uma revolução permanente (cf. Popper, 1935), para Kuhn, essa proposição vale, sem dúvida, como modelo ideal da atividade científica no quadro de uma epistemologia normativa, mas não é conforme à realidade histórica. O essencial da atividade científica é, para ele, da ordem da ciência normal, que toma a forma concreta de um conjunto de atividades rotineiras e destinadas a elaborar e afinar as teorias no quadro do paradigma. As práticas científicas são, então, estabilizadas e estandardizadas e os indivíduos operam no interior de um quadro disciplinar institucionalizado que lhes proporciona um conjunto de noções, de procedimentos de pesquisa, de trabalhos exemplares que os orientam na formulação dos problemas e na adoção dos protocolos de pesquisa destinados a sua resolução. A ciência normal é, para Kuhn, um signo de maturidade, os pesquisadores não retornam mais aos fundamentos, aos primeiros princípios.

Certos sociólogos utilizaram, por vezes, a noção de ciência normal para designar as práticas de pesquisa que conduzem a resultados sem interesse (cf. Ziman, 1976); outros falaram de ciência "hipernormal" para designar as práticas científicas conservadoras de pesquisadores medrosos e pouco inclinados a correr riscos (cf. Lemaine, 1980). Kuhn, por sua parte, insiste na importância da ciência normal nas descobertas. Sua rigidez, seu caráter rotineiro revelam em negativo a mínima "anomalia"; é sobre um fundo constituído pelos resultados esperados que acontece nitidamente todo o desmentido de hipóteses ligadas ao paradigma. No quadro teórico-perceptivo do paradigma, os pesquisadores constituem um espaço de resultados prováveis; uma anomalia terá tanto mais chance de ser percebida, quanto mais esse espaço for consistente.

A partir da noção de paradigma, Kuhn propõe um modelo de evolução da ciência. Quando um paradigma dado domina, isso significa que existe, entre os membros da comunidade, um consenso acerca das questões a serem postas, das técnicas de investigação a serem mobilizadas para tratá-las e dos resultados esperados. É precisamente sobre essa tela de resultados esperados que uma anomalia tem alguma chance de ser enquadrada. A noção de anomalia designa um conjunto de fenômenos aparentemente refratários a um tratamento científico que seria guiado pelos princípios constitutivos do paradigma. Quando uma anomalia emerge, os cientistas procuram, antes de tudo, problematizá-la e tratá-la segundo as regras paradigmáticas. Se a anomalia resiste, as regras da ciência normal enfraquecem e o paradigma dominante começa a ser colocado em questão. Aparece uma crise que põe fim ao período de ciência normal: os atores procuram, então, propor novos princípios suscetíveis de permitir a resolução de problemas. Os pontos de vista enfrentam-se durante uma fase dita revolucionária, que se encerra quando um novo paradigma consegue impor-se.

4.2 Um trabalho criticado

Muito rapidamente, o trabalho de Kuhn faz tremer o mundo dos historiadores e dos sociólogos da ciência. Ele abre espaço para uma nova maneira de periodizar a ciência. Além disso, a tonalidade do discurso de Kuhn rompe com aquela dos textos logicistas da filosofia da ciência do momento. O propósito em nada é normativo, mas descritivo, e Kuhn trata a ciência sem referir-se àquilo que ele mesmo considera como válido. Ele mostra igualmente que a atividade científica não é tão diferente das outras atividades sociais. Não apenas ela ocorre em um sistema social que controla seus membros e suas atividades, mas, além disso, esse sistema social veicula também orientações e representações cognitivas.

Desse modo, o livro suscita paixões e torna-se, muito rapidamente, objeto de críticas. Em 1970, Margaret Masterman recenseia mais de vinte usos diferentes da noção de paradigma (cf. Masterman, 1970), o que conduz Kuhn a um trabalho de definição, que se conclui na proposição, apresentada na segunda edição de *A estrutura das revoluções científicas*, de um novo conceito, o de "matriz disciplinar". Os constituintes dessa matriz são:

> (1) As "generalizações simbólicas", expressões "que são empregadas sem hesitação pelos membros do grupo" e que são facilmente formalizáveis;
> (2) os "modelos" que fornecem ao grupo analogias e ontologias,[4]
> (3) os "exemplares", que são "soluções de problemas concretos, aceitos pelo grupo como paradigmáticos [...]" (Kuhn, 1990, p. 397).

Mas essa não é a única crítica que se pode formular ao trabalho de Kuhn. Sua relativa indecisão com relação ao grau de ruptura que caracteriza uma revolução científica testemunha outra fraqueza. Se, no capítulo 7 de *A estrutura das revoluções científicas*, ele assimila o fim de um paradigma à constituição de um novo setor sobre novos fundamentos e opõe-se a ver nessa mudança o prolongamento e/ou a adaptação do paradigma destituído, Kuhn é menos categórico na continuação. No capítulo 8, as revoluções simples são apresentadas como "episódios não cumulativos de desenvolvimento, nos quais um paradigma mais antigo é substituído na totalidade *ou em parte* por um novo paradigma incompatível". No capítulo 9, Kuhn esclarece que, após uma revolução, as mudanças nas modalidades de manipulação e de medida não são mudanças totais; se há mudança, é antes nas relações dos instrumentos

4 Exemplo de analogia: considerar um circuito elétrico como um "sistema hidrodinâmico em estado permanente". Exemplo de ontologia: "o calor de um corpo é a energia cinética das partículas que o constituem [...]" (Kuhn, 1990, p. 397).

e das conceituações com os quadros paradigmáticos nos quais eles se encontram ou em seus resultados e, muito freqüentemente, nos dois.

Essa indecisão é compreensível: Kuhn experimenta aqui os limites da noção de paradigma, que tem o singular defeito de funcionar a partir do postulado da homogeneidade das disciplinas. Ao lê-lo, tem-se a impressão de que, quando há revolução científica na física, é toda a física que é abalada. Ora, a história mostra que as disciplinas não possuem tal unidade. O desenvolvimento da teoria quântica não teve e não tem impacto na acústica, na física dos fluidos, na química orgânica e inorgânica ou na mineralogia. Além do mais, pode-se censurar Kuhn por ter pressuposto a unidade do paradigma que, entretanto, é constituído de elementos díspares, tais como teorias, métodos, instrumentos e trabalhos exemplares. Ele jamais mostra como todas essas componentes mantêm-se juntas, a não ser por sugerir que é a teoria que constitui a chave principal do paradigma. O estudo de uma especialidade como a física de partículas mostra que essa comunidade está dividida em subculturas teórica, experimental e instrumental, dotadas de uma autonomia relativa que explica que as mudanças que afetam uma entre elas não são forçosamente seguidas de transformações nas outras (cf. Galison, 1997). Ao opor aos defensores do empirismo lógico a tese de um forte efeito de enquadramento da teoria à observação, Kuhn negligencia enormemente o papel dos instrumentos na atividade científica. É assim que silencia acerca do modo pelo qual as coincidências experimentais puderam conduzir Henri Becquerel (1852-1908) à descoberta da radioatividade e Wilhelm Conrad Röntgen (1845-1923) àquela dos raios X. Do mesmo modo, Kuhn não enxerga como o microscópio revolucionou a ciência (cf. Rasmussen, 1997) e o papel decisivo do radiotelescópio na exploração de porções desconhecidas do universo astronômico (cf. Edge & Mulkay, 1976). Existem muitas outras ilustrações do impacto importante da instrumentação sobre a evolução da ciência. Poder-se-ia evocar o exemplo da ultracentrífuga de Jesse Beams (1898-1977) nos anos 1930 e 1940, cuja invenção revoluciona a bacteriologia, a virologia e a biologia celular (cf. Shinn, 2000b), ou, ainda, o exemplo do laser. A ciência não se reduz à teoria. Assinale-se, por fim, que Kuhn, mesmo assinalando a morosidade da ciência normal, não a explorou, ao evocar antes de tudo os mais eminentes e mais "revolucionários" pesquisadores, tais como Newton, Antoine Lavoisier, Albert Einstein, Max Planck (cf. Kuhn, 1987) ou Niels Bohr. Apesar dessas limitações, o trabalho de Kuhn encontrou um eco favorável bastante amplo na comunidade sociológica. É, quando menos, sua ambigüidade o que explica esse estado de coisas.

4.3 Kuhn como autor de encruzilhada

A contribuição de Kuhn foi, com efeito, objeto de leituras aparentemente muito contrastantes. Pode-se compreender que na passagem dos anos 1970, época na qual se multiplicam os discursos de denúncia da ciência, as teses desenvolvidas por Kuhn puderam ter eco e ser lidas como testemunho de uma postura relativista, porque, para ele, o essencial da atividade científica reduz-se à prática de uma ciência normal que se poderia qualificar de "a-crítica". É preciso introduzir aqui a idéia de "incomensurabilidade" dos paradigmas, sobre a qual Kuhn retorna repetidas vezes. No capítulo 11 de *A estrutura*, ele trata longamente dessa tese, a partir da questão de saber qual é o processo pelo qual um paradigma "candidato" substitui seu predecessor. Kuhn rejeita as respostas dadas pelos filósofos da ciência. A escolha entre dois paradigmas seria fácil, se existisse um espaço de comunicabilidade, mas esse não é o caso: cada partido recusa "admitir todas as suposições não empíricas das quais o outro tem necessidade para tornar válido seu ponto de vista. [...] A competição entre paradigmas não é o gênero de batalha que se pode vencer com provas" (Kuhn, 1983, p. 240).

Para Kuhn, os pontos de vista de defensores de paradigmas diferentes não podem entrar em contato por razões ligadas ao que ele chama "a incomensurabilidade das tradições da ciência normal pré e pós-revolucionária". A primeira dessas razões é que os que sustentam paradigmas diferentes não estão de acordo sequer sobre a lista de problemas a resolver, nem sobre as normas que presidem a sua resolução. Em seguida, mesmo se um novo paradigma empresta do antigo uma parte de seus utensílios conceituais e de seus métodos, faz disso um uso em geral radicalmente diferente, o que implica um "parasitismo" da comunicação: os defensores do antigo paradigma e os promotores do novo usarão o mesmo vocabulário sem dizer a mesma coisa. Enfim, os membros dos dois campos não vivem no mesmo mundo, eles estão sediados em duas comunidades perceptivas diferentes. Essas três razões, que constituem a incomensurabilidade dos paradigmas, conduzem Kuhn a afirmar que unicamente uma conversão pode permitir uma restauração do diálogo. Eis por que a passagem de um paradigma a outro não pode fazer-se progressivamente sob o império das leis da lógica e do empirismo; ela deve produzir-se imediatamente.

Ao propor essas idéias, Kuhn está consciente do risco que corre de ser lido como um relativista. Esclarece assim que "dizer que a resistência é inevitável e legítima, que a mudança de paradigma não poderia ser justificada por meio de provas, não é pretender que nenhum argumento tem valor e que não se pode persuadir os cientistas a mudar de posição" (Kuhn, 1983, p. 209). Mas, algumas linhas depois, ele desenvolve a idéia de que as razões pelas quais se operam as conversões são, por vezes, de natureza de fato exterior à ciência. É certo que, diz Kuhn, os argumentos empíricos ou teóricos são, geralmente, os mais significativos e os mais persuasivos, mas não são obrigatórios, nem individualmente nem coletivamente. Ele chama atenção para argumentos freqüentemente pouco explicitados, que fazem apelo ao senso estético do cientista: uma teoria pode ser adotada porque está belamente adaptada, porque é elegante, ou mais simples – como é o caso, por exemplo, da astronomia copernicana com relação àquela de Ptolomeu. Kuhn não diz que se adota um novo paradigma por razões exclusivamente exteriores à ciência; ele afirma, simplesmente, que essas razões não são unicamente de ordem lógica ou ligadas a considerações científicas e que elas são múltiplas. Os argumentos produzidos não são de um só tipo.

Esses longos desenvolvimentos sobre a questão da relação de Kuhn com o relativismo justificam-se tanto mais que uma leitura um pouco rápida desse autor pode conduzir a classificá-lo como relativista, visão que um sociólogo mais próximo de Popper como Raymond Boudon julga ilegítima (cf. Boudon, 1995). Bloor e Barnes, dos quais trataremos mais longamente no próximo capítulo, lerão Kuhn como relativista e juntamente com eles, a maior parte dos sociólogos da ciência que se inscreverão, com mais ou menos recuo crítico, na linhagem do Programa forte. Então, o que eles retêm de Kuhn?

(1) Que as comunidades científicas são complexos inseparavelmente sociais e cognitivos;

(2) que os cientistas são, tal como todo ator social, arraigados a representações preconcebidas da natureza;

(3) que eles decidem a propósito de sua adesão paradigmática em função de razões externas à lógica e

(4) que o conhecimento científico não pode escapar das ciências sociais, como tinham proposto os sociólogos funcionalistas.

Esses são os argumentos que ressurgem no Programa forte, desenvolvido por Bloor e Barnes, que marca uma ruptura com a linha mertoniana e recusa a limitação da sociologia da ciência à análise das instituições científicas.

Capítulo 2

O evanescimento da ciência

Rumo a uma "nova ortodoxia" na sociologia da ciência?

Entre os anos 1970 e 1990, a perspectiva diferenciacionista conhece um declínio constante face ao crescimento de novas abordagens sociológicas. Relembremos que os diferenciacionistas defendem a idéia de um conhecimento científico diferente das outras formas de conhecimento, sustentam a hipótese de uma institucionalização da atividade científica separada dos outros campos sociais e aceitam, ao concentrar-se amplamente sobre a elucidação das condições sociais da atividade científica, ver os conteúdos cognitivos da ciência escaparem ao domínio de investigação da sociologia. A corrente diferenciacionista rejeita vigorosamente a idéia de uma influência dos fatores sociais sobre os enunciados teóricos e as técnicas experimentais dos cientistas e deixa conseqüentemente à filosofia da ciência uma tarefa gigantesca e importante: a análise dos fatores explicativos do pensamento científico e de sua evolução.

As perspectivas que vão progressivamente substituir a abordagem diferenciacionista e que constituem o objeto deste segundo capítulo são mais ambiciosas. Elas pretendem ir bastante além dos objetivos limitados da sociologia diferenciacionista, afirmando que a sociologia é capaz de explicar o conteúdo cognitivo da ciência e que, além disso, o conhecimento científico é o produto de influências essencialmente sociais. Os defensores dessas novas abordagens pretendem explicitamente desfazer-se da filosofia da ciência que eles concebem como inútil e errônea. Para os partidários dessa "nova ortodoxia" (cf. Shinn, 2000b, 2001a, 2001b; Ragouet, 2002), a idéia defendida pelos filósofos, segundo a qual uma razão universal rege os processos de descoberta, a operação probatória e os procedimentos de refutação na ciência, é totalmente fora de propósito. São os fatores de ordem cultural, os interesses sociais e as relações de poder que jogam um papel proeminente na aceitação ou rejeição dos resultados, em sua validação ou infirmação.

Contrariamente à corrente diferenciacionista, que prega certa estabilidade e certa homogeneidade no modo pelo qual seus promotores exploram e explicam a ciência, a nova ortodoxia reúne várias correntes usualmente em conflito entre si, que se pode reagrupar em três categorias principais:

> (1) As abordagens "fortes" ou "peri-fortes", isto é, mais ou menos inspiradas no Programa forte (Barry Barnes, David Bloor, Donald MacKenzie, Andrew Pickering);
> (2) as abordagens etnográficas do trabalho empírico (Karin Knorr-Cetina, Bruno Latour & Steve Woolgar, Michel Lynch, Trevor Pinch); e
> (3) as abordagens radicalmente construtivistas (Michel Callon, Bruno Latour, John Law, Michael Lynch).

Certos autores situam-se em várias dessas categorias, na medida em que suas tomadas de posição, evolutivas, não podem ser exclusivamente exprimidas por uma delas. Tratase de ver, num primeiro tempo, as grandes características dessas três abordagens, sem deixar, entretanto, de referir às propriedades que as aproximam, dando assim certa credibilidade à existência disso que se chama de "nova ortodoxia" e que outros chamam "nova sociologia da ciência" (cf. Dubois, 2001).

O nascimento dessas novas abordagens e seu considerável sucesso podem ser explicados por três fatores. Convém sublinhar, primeiramente, o impacto das análises de Kuhn que, como vimos, conseguiram chamar atenção para as evoluções concomitantes das representações da natureza, das estruturas sociais e de seus objetivos. Além disso, a considerável fortuna do conceito de incomensurabilidade dos sistemas de pensamento científico proposto por Kuhn contribuiu muito rapidamente para uma expansão do relativismo nos estudos sociais da ciência.

Em segundo lugar, o recrudescimento ocorrido nos anos 1960 do ceticismo com relação à ciência pesa com toda sua carga; ceticismo que, com muita freqüência, torna-se discurso anticiência. O livro de Rachel Carson (1907-1964), *Silent spring* (*Primavera silenciosa*), é emblemático desse movimento crítico; ela descreve, em sua obra, os perigos que a ciência e as técnicas agrícolas impõem ao ambiente, contaminado por substâncias agroquímicas mortais (Carson, 1962). Em muitos casos, reflexões documentadas e pertinentes sobre as implicações negativas da ciência e da tecnologia deram, assim, lugar a profissões de fé vigorosamente anticientíficas.

Enfim, a nova sociologia da ciência realizou com o construtivismo, corrente teórica mais ampla, uma aliança sólida. O construtivismo é com freqüência, mas não necessariamente, crítico com relação à ciência e mais favoravelmente disposto com relação às teses pós-modernas. Constitui uma corrente intelectual que atravessa muitas disciplinas das ciências sociais, dentre as quais a psicologia, a pedagogia, a ciência política, a geografia, a literatura, a sociologia em geral e a sociologia da ciência em particular. Ainda que as formas de construtivismo sejam variáveis de uma disciplina a outra, certo número de princípios transversais são referenciais. Os fatos são considerados como construídos a partir dos dados brutos através de processos ativos de construção conceitual. Eles não poderiam ser considerados como preexistentes ao sujeito do conhecimento, nem independentes dele e eles não são impostos pelo exterior. Eles são específicos ao indivíduo e permitem que ele funcione adequadamente. Dito de outro modo, o fato é construído de modo que ele sirva à eficácia prática e não à compreensão de um suposto "mundo real". Pode-se assim dizer que os construtivistas se interessam mais pelas representações que pelas ontologias. Os indivíduos portadores de representações selecionam as mais adaptadas a sua situação. Geram, assim, uma multiplicidade de modelos mentais segundo as circunstâncias, e aquele modelo que é considerado como válido possui, ao mesmo tempo, certa coerência interna e certo grau de consistência com os outros modelos mentais.

Ainda que os autores da nova sociologia da ciência raramente se refiram à literatura construtivista, não é sem propósito assinalar um ar familiar entre uma e outra. Mesmo assumindo formas diferentes, os estudos sociológicos recentes sobre a ciência apóiam-se em postulados próximos aos enunciados pela teoria construtivista da produção cognitiva autônoma (cf. Maturana & Varela, 1980). Eles insistem sobre a dependência da ciência com relação ao contexto social local e sobre a idéia de que a natureza e os enunciados sobre a natureza são redutíveis a puras representações individuais. A natureza não existe, segundo os promotores da nova sociologia da ciência, senão enquanto construção do espírito. O construtivismo vem sustentar a recusa de um pensamento e de uma atividade científica dotada de uma dinâmica específica e distinta das outras atividades de conhecimento, ao mesmo tempo em que vem apoiar a idéia segundo a qual a comunidade científica não constituiria, em nada, um campo à parte.

Utilizamos até aqui a expressão "nova ortodoxia" ou ainda a expressão "nova sociologia da ciência". Esses rótulos são ao mesmo tempo errôneos e cabíveis sob certos aspectos. Os rótulos são errôneos porque subsumem um conjunto de correntes ou de abordagens que se diferenciam em vários pontos:

(1) A maneira pela qual são apreendidos os modos de existência do social;

(2) o modo de existência da natureza;

(3) os fenômenos aos quais somos remetidos quando se faz referência ao "social" ou

(4) ao "cognitivo".

É assim possível propor um quadro que sintetiza as frentes de divergência, utilizando esses quatro pontos problemáticos.

	Modo de existência do social	**Modo de existência da natureza**	**Definição do social**	**Definição do cognitivo**
Abordagens fortes e peri-fortes	Realidade	Construção	Cultura Interesses	Ciência feita (tomada de posição)
Abordagens etnográficas do trabalho empírico	Construção	Construção	Interação Relações de força	Práticas *in situ*
Enfoques radicalmente construtivistas	Construção	Construção	Realidades híbridas em relação de entre-definição	

Ao mesmo tempo, o quadro acima é ele mesmo criticável, na medida em que é sempre possível colocar em evidência diferenças notáveis entre as produções classificadas na mesma abordagem; igualmente, na medida em que certas características comuns são detectáveis entre essas diferentes abordagens, dão, paradoxalmente, uma credibilidade relativa à idéia de "nova" sociologia da ciência. Essas características comuns são detectáveis em dois planos. As abordagens, das quais num primeiro momento sublinharemos as diferenças, são portadoras de uma concepção específica da atividade científica, que é a antípoda das proposições da epistemologia clássica. Mas elas estão também animadas pela intenção de promover uma sociologia bem particular. Um dos desafios deste capítulo é proceder a uma crítica fundamentada das teses formuladas sobre esses dois planos e expor os elementos que nos levam a colocar a questão de uma deriva para o antidiferenciacionismo, posição que se caracteriza por sua recusa em admitir a demarcação clássica entre a ciência e a sociedade, e a distinção entre a ciência e a não-ciência – donde a idéia de qualificá-la de antidiferenciacionista.

O capítulo apresenta, a seguir, um dos modelos descritivos da inovação tecnológica aos quais a perspectiva antidiferenciacionista deu nascimento, aquele dito "do modo 2". Esse modelo, exposto em uma obra intitulada *The new production of knowledge* (*A nova produção de conhecimento*), sugere a idéia de que o modo de produção dos conhecimentos científicos transformou-se a tal ponto que a ciência clássica estaria claramente em curso de desaparição (Gibbons *et al.*, 1994). Segundo os defensores desse modelo, estaríamos a ponto de viver o nascimento de novas formas de relações entre universidades, especialistas, demanda social e indústria, de modo que o todo seja dominado pela lógica de funcionamento e as necessidades das empresas.

Este capítulo concluirá com uma rápida lembrança da viva reação da comunidade científica contra a nova sociologia da ciência ao final dos anos 1990; o que dará a ocasião de analisar as origens e a evolução desse conflito que tem o nome de "*science war*" ("a guerra das ciências").

1 As "novas" abordagens sociológicas da ciência

A partir de 1975, na Europa, a sociologia mertoniana é objeto de críticas que têm origem essencialmente em dois grupos. O primeiro, constituído em torno de Richard D. Whitley e Peter Weingart – e que estará na origem da coleção do *Sociology of the sciences yearbook* (*Livro do ano de sociologia da ciência*) –, pretende conduzir o esforço segundo três eixos:

> (1) pensar a autonomia relativa das ciências com relação ao mundo social;
> (2) pensar a demarcação entre a ciência e a tecnologia; e
> (3) explicar os processos de segmentação da ciência em disciplinas e especialidades.

Um segundo grupo, localizado na Universidade de Edimburgo em torno de Bloor, Barnes e Edge, constitui-se no mesmo momento. Suas críticas à abordagem mertoniana são mais agudas e conduzem à elaboração de um programa de pesquisa, dito Programa forte, que constitui de fato o primeiro ponto de ruptura radical com a sociologia mertoniana. É na linha desse programa e, ao mesmo tempo, distanciando-se dele que trabalharão e construirão certos representantes eminentes da nova sociologia da ciência.

1.1 O Programa forte: os princípios e as aplicações

O corpo da axiomática do Programa forte está exposto, desde 1976, em uma obra de D. Bloor, intitulada *Knowledge and social imagery* (*Conhecimento e imagens sociais*) (Bloor, 1976). Invocando sua filiação a Durkheim, fundador da escola sociológica francesa, Bloor acusa os sociólogos de "não ter sangue frio e vontade", quando se recusam a tratar a ciência como qualquer outro modo de conhecimento. Para ele, de modo análogo ao do mecânico que tenta compreender as máquinas que funcionam assim como as que não funcionam, o sociólogo deve construir teorias capazes de explicar todas as crenças, qualquer que seja a validade que lhe atribui o pesquisador. Com o fim de conduzir bem essa tarefa, o sociólogo deve dotar-se de um conjunto de princípios de trabalho. Bloor enuncia quatro:

- o princípio de *causalidade*, que obriga o sociólogo a interessar-se pelas condições de aparição das crenças, entendendo-se que as crenças possuem certamente outras causas além das sociais;
- o princípio de *imparcialidade*, que convida o sociólogo a fazer a prova da imparcialidade frente à verdade ou à falsidade, à racionalidade ou à irracionalidade, ao sucesso ou ao fracasso;
- o princípio de *simetria*, que obriga o sociólogo a explicar pelos mesmos tipos de causas as crenças "verdadeiras" e as "falsas": os erros não podem ser imputados unicamente a causas sociais e as verdades imputadas unicamente ao jogo da lógica e da Razão;
- o princípio de *reflexividade*, que consiste em afirmar que os modelos explicativos desenvolvidos pelo sociólogo a propósito dos conhecimentos em geral devem aplicar-se à própria sociologia.

Em 1982, aparece uma coletânea de textos anglo-saxões traduzidos ao francês, cuja característica é a de inscrever-se no âmbito do Programa forte (Callon & Latour, 1982). Sua leitura pode permitir apreender a novidade relativa dessas abordagens frente à sociologia diferenciacionista dos mertonianos, mas, igualmente, a posição de ponta da corrente "forte" entre as abordagens diferenciacionistas e aquelas que, em nosso quadro sintético, ocupam as duas últimas linhas (ver p. 63).

Além disso, a descoberta de trabalhos que reivindicam o Programa forte dá igualmente ocasião de perceber até que ponto a axiomática do programa deu lugar a aplicações concretas contrastantes. Distinguir-se-á aqui duas famílias de aplicações em função daquilo que seus promotores entendem como "fatores extrínsecos" que pesam sobre o conteúdo conceitual das ciências: de um lado, aquelas que privilegiam uma abordagem das ciências em termos do quadro *ideal* ou *cultural* e, de outro lado, aquelas que desenvolvem análises em termos de *interesses sociais*.

A opção culturalista é muito bem representada pelo trabalho do próprio Bloor sobre o raciocínio matemático. Segundo ele, em um raciocínio matemático, não se passa de uma etapa a outra em função da necessidade lógica, mas para melhor responder a uma "obrigação moral". As provas sobre as quais assenta a representação coletiva de uma verdade matemática não possuem valor intrínseco, elas dependem do quadro cultural que é portador de sistemas de significação. Assim, toda demonstração matemática inscreve-se em um quadro cultural particular que lhe dá seu valor. Aqui, encontramo-nos sob uma ótica quase "imanentista": o cultural pré-forma o teórico, o "social" difunde-se na ciência.

A análise que John Farley e Gerald L. Geison (1991) fazem do debate entre Pasteur e Pouchet é mais particularmente ilustrativa de uma abordagem em termos de quadro intelectual. O objetivo dos dois autores é "revelar" as determinantes "extrínsecas" que pesaram sobre a controvérsia entre Pasteur e Pouchet a propósito do problema da geração espontânea. Após ter descrito as respectivas posições de Pouchet e Pasteur sobre a questão da heterogenia antes do desencadeamento da controvérsia, Farley e Geison descrevem os termos do debate. Eles concluem que a posição de Pasteur e sua vitória são devidas a um conjunto composto de fatores ideais, tais como suas próprias crenças políticas e religiosas, o clima sociopolítico da época, que é antes conservador e favorável a um catolicismo autoritário, o antidarwinismo da elite científica francesa, mas igualmente a importância de sua rede relacional no seio da *Académie des Sciences* e da elite política da época. Assim, a vitória de Pasteur estaria ligada não à pertinência de suas experiências e suas competências científicas, mas antes ao seu conformismo intelectual e político. Veremos, mais abaixo, na parte crítica deste capítulo, até que ponto essa análise da controvérsia Pasteur/Pouchet – assim como aquela feita por Latour – é discutível, na medida em que procede da conjugação de aproximações empíricas e de certa inconseqüência metodológica (cf. Raynaud, 2003).

A contribuição de MacKenzie é, de sua parte, mais representativa de uma abordagem do problema da determinação social da ciência em termos dos interesses sociais. Assim como Farley e Geison, MacKenzie escolheu proceder a um estudo de controvérsia. A que ele escolheu opõe Karl Pearson (1857-1936), então professor de matemáticas aplicadas em Londres, a George Udny Yule (1871-1951), antigo estudante de Pearson e professor assistente do *University College*, sobre a questão da medida da associação estatística (cf. MacKenzie, 1991). No início do século XX, a comunidade britânica de estatísticos chega a um acordo sobre a maneira de medir a associação de variáveis quantitativas, mas não consegue um consenso concernente à medida da associação de variáveis nominais. O autor procede bastante logicamente, em quatro tempos. Após ter apresentado as respectivas posições de Pearson e Yule e exposto a natureza dos juízos teóricos produzidos por cada um dos dois estatísticos sobre o trabalho do outro, MacKenzie propõe-se explicar a posição dos dois cientistas relacionando-os, inicialmente, a seus respectivos "interesses cognitivos" e, em seguida, aos "interesses sociais" mais amplos. Para compreender a controvérsia, não é suficiente compreender os argumentos trocados pelos protagonistas. MacKenzie defende a idéia de que é necessário apreender os interesses cognitivos subjacentes, isto é, "os aspectos das aplicações científicas efetivas ou potenciais de uma teoria que produzem um efeito de retorno sobre a evolução da teoria, estruturando sua construção e sua apreciação pelos cientistas" (MacKenzie, 1991, p. 220). Aqui, em um sentido geral, os trabalhos de Yule e Pearson exprimem os mesmos interesses cognitivos, a saber, estender o campo da análise estatística a um domínio desprovido de técnicas de inferência – aquele da análise das variáveis qualitativas –, mas diferem sobre os modos de realizar esse objetivo.

Pôr em evidência o papel, certamente importante, dos interesses cognitivos não é, portanto, suficiente. MacKenzie se consagra então à elucidação dos interesses "sociais" que explicam mais completamente as divergências teóricas entre Yule e Pearson. Se Pearson se interessa pela estatística, é no quadro de seu programa de pesquisa de orientação eugenista que trata da elaboração de uma teoria matemática de previsão da descendência. Para isso, ele deve dispor de instrumentos poderosos de previsão. Além disso, a proeminência da correlação no pensamento de Pearson não deixa de ter ligação com sua preocupação em mostrar a força da hereditariedade. Por que ele se interessa pela questão da associação de variáveis nominais? Pura e simplesmente porque, em 1890, todos os trabalhos concluídos por Pearson não se aplicam senão a características mensuráveis, não a características nominais. A fim de poder estender o domínio de validade de sua teoria, Pearson se via então constrangido a fazer a teoria da correlação passar do estudo das variáveis descontínuas ao estudo das variáveis nominais. Por força de seus trabalhos em estatística e, mais particularmente, de seus trabalhos sobre o coeficiente de correlação tetracórica, Pearson propunha em 1903, em uma comunicação ao Instituto de Antropologia, sua contribuição à teoria da hereditariedade, contribuição que consistia em mostrar a prevalência do inato sobre o adquirido. MacKenzie sublinha que, ao final de sua conferência, Pearson deduzia de suas análises um ensinamento que encontrava eco junto ao poder público britânico: a Grã-Bretanha era, por certo, inapta na concorrência com os Estados Unidos e a Alemanha, em razão da falta de inteligência e de espírito de comando. Em um contexto em que o país ansiava por eficácia nacional – o Reino Unido acabava de sofrer suas primeiras derrotas contra os Boers na África do Sul –, esses propósitos tinham grande repercussão.

Yule, de sua parte, não tem qualquer tipo de engajamento com o eugenismo. Ligado à *Royal Statistical Society*, ele se interessa pelo pauperismo e, mais precisamente, pelo impacto das reformas governamentais (principalmente a supressão da assistência) sobre a baixa da taxa de pauperismo. MacKenzie nota igualmente que Yule provavelmente sentiu a necessidade de trabalhar sobre a medida da associação, por ocasião de estudos sobre as estatísticas de vacinação, outro cavalo de batalha da *Royal Statistical Society*. Ora, diz MacKenzie, "as exigências ligadas ao problema da vacinação impunham, quando muito, restrições suaves à avaliação das medidas de associação" (MacKenzie, 1991, p. 241). Para encontrar uma convenção que permitisse discriminar uma intervenção sanitária sem efeito de uma intervenção sanitária totalmente eficaz, não era urgente focalizar-se na medida da associação.

Mas por que Pearson estava tão engajado no movimento eugenista? MacKenzie propõe então um novo movimento de regressão para os interesses sociais de classe dos quais é portador cada um dos protagonistas do debate. Pearson, membro das classes ascendentes, esposa a ideologia eugenista das novas classes profissionais, o que não é o caso de Yule, membro da antiga elite.

Essas três contribuições ilustram bem a renovação da abordagem sociológica da ciência que se opera a partir dos anos 1970. Aqui, o sociólogo pretende interessar-se pelo conteúdo intelectual das ciências, pelo objeto e desenrolar das controvérsias científicas, que ele pretende tratar de modo imparcial – veremos mais abaixo que essa imparcialidade é bastante relativa. Ele se recusa a ver, na lógica intelectual dos argumentos que se apresentam, uma explicação suficiente de suas divergências e de seu caráter conflituoso, para afirmar a necessidade de "sair" dessas motivações individuais e intelectuais e de levar em consideração fatores explicativos supra-individuais e sociais.

No entanto, essas três contribuições mostram também até que ponto a noção de explicação causal dos conteúdos científicos pode assumir sentidos diferentes, na medida em que, de um lado, os "fatores extrínsecos" jamais remetem às mesmas realidades – uma cultura, ideologias, interesses de classe etc. – e, de outro lado, os conteúdos "científicos" tomados em consideração estão a distâncias diferentes do coração "conceitual" da atividade científica, da qual o Programa forte procura fazer a sociologia, e na medida em que, enfim, continuamos bastante desinformados sobre a própria natureza da influência que os fatores explorados exercem sobre os conteúdos científicos. Trata-se de uma simples relação de influência? De uma relação de determinação? Relações de correspondência? Esses trabalhos possuem em comum a negligência da questão da autonomia relativa da comunidade científica. As influências "externas" parecem marcar diretamente a ciência, sem qualquer mecanismo de retradução, a ponto de que se pode quase ver as posições de Pearson e Yule como o reflexo direto de suas respectivas posições de classe, ou ainda a vitória de Pasteur como o resultado direto de "forças" exteriores à comunidade científica.

As contribuições que seguem destacam-se do Programa forte sob dois pontos de vista. Se elas não negam completamente a axiomática desse programa, elas a consideram maculada por um impeditivo realismo do social, do qual convém desembaraçar-se. Além disso, esses trabalhos procedem de uma mudança de objeto: não se trata mais de interessar-se pela ciência feita, pelas tomadas de posição dos cientistas, mas pela ciência "no curso em que é feita", pelas práticas científicas *in situ*. De repente, o analista concentra sua atenção no contexto local do trabalho científico, suas condições sociais, materiais e técnicas, negligenciando completamente os "fatores extrínsecos", tomados em consideração pelos autores precedentes.

1.2 As abordagens etnográficas do trabalho empírico: uma variante atomista do Programa forte?

Nesta categoria de abordagens, pode-se distinguir duas subfamílias, uma que reúne os estudos de laboratórios no curso dos quais os sociólogos estudam o conjunto das condições locais, ao mesmo tempo sociais e materiais, da atividade científica, e outra que remete às análises etnográficas mais estritas das práticas empíricas, cujo propósito é diretamente concorrente do discurso epistemológico.

Em 1979, Latour e Woolgar publicam *Laboratory life* (*Vida de laboratório*). A obra é o resultado de uma expedição etnográfica conduzida pelos dois autores em um laboratório do *Salk Institute* em São Diego. Essa unidade de pesquisa é dirigida pelo professor Roger Guillemin, que obteve em 1977, com Andrew Schally e Rosalyn Yalow, o prêmio Nobel de medicina por seus trabalhos sobre os hormônios secretados pelo cérebro. Suas pesquisas permitiram, mais particularmente, colocar em evidência as relações entre o sistema nervoso central e as grandes funções endócrinas.

Nesse trabalho, os autores se referem explicitamente à sociologia anglo-saxônica da ciência por meio de Bloor, Collins e Pinch, nos quais reconhecem a tentativa de fazer a ligação entre a "dimensão cognitiva" da ciência e os "fatores sociais circundantes". Contudo, reprovam esses autores, de um lado, por aferrarem-se a uma sociologia da ciência feita e, de outro, por não terem ido muito longe na tentativa de pôr em operação o princípio de simetria. Segundo Latour e Woolgar, se esse princípio pode constituir uma "base moral" para o trabalho do antropólogo da ciência, ele, entretanto, não é suficiente. Tratar os vencedores e os vencidos da história da ciência nos mesmos termos é importante, mas é necessário ir mais além e "prolongar" o princípio de simetria, afirmando a necessidade de tratar a sociedade e a natureza nos mesmos termos. "Pode-se acreditar (duro como ferro) na primeira a fim de melhor explicar a segunda, crer bravamente nas classes sociais a fim de melhor duvidar da física" (Latour & Woolgar, 1988, p. 22).

Trata-se de uma injunção cujo conteúdo é muito próximo de uma das regras da etnometodologia, a saber, a suspensão, na análise sociológica, de toda referência a estruturas ou a regras que determinam as condutas dos atores, existentes, de certa maneira, fora deles. Nos fatos, essa regra não foi respeitada pelos dois autores. Apesar de sua vontade de "prolongar" o princípio de simetria, excluindo da análise todo recurso a essas entidades universais que são as classes, os hábitos, as normas etc., Latour e Woolgar vão mobilizar um certo número delas, fazendo todas girarem em torno do que lhes parece ser o motor das práticas científicas: a procura por credibilidade e seu crescimento cada vez maior. Os dois autores são de fato conscientes desse hiato, mas não parecem considerá-lo como uma contradição (cf. Latour & Woolgar, 1988, p. 22, nota 4).

Após um capítulo introdutório que discute as questões relativas ao método etnográfico e no curso do qual eles pretendem defender toda a fecundidade desse tipo de abordagem a propósito da ciência, Latour e Woolgar descrevem o que eles consideram ser o quadro do trabalho científico. O laboratório, que se apresentava ao início da investigação sob a aparência de um universo desordenado, assume, ao fio da investigação, um sentido para o antropólogo em observação participante; ele torna-se um "sistema de inscrição literária" (Latour & Woolgar, 1988, p. 43), um vasto dispositivo de transcrição escrita cujo núcleo é constituído pelos "aparelhos". Seu agenciamento constitui a forma objetivada da "cultura do laboratório" e sua força. Latour e Woolgar insistem nisso ao longo de todo o capítulo: o laboratório é de fato uma tribo de leitores e atores que trabalham sobre inscrições e são "mestres, ao mesmo tempo, na arte de elaborar dispositivos capazes de apreender figuras, traços ou inscrições fugidias, no que diz respeito ao aspecto material, e na arte da persuasão" (Latour & Woolgar, 1988, p. 65). O antropólogo não se deve deixar levar a acreditar no que dizem os cientistas, a saber, que eles se interessam pelos fatos brutos, que não há mediação alguma entre os enunciados que eles produzem e a "realidade" que eles estudam. O propósito do antropólogo é, precisamente, restituir a complexidade desse espaço intermediário, delimitando o papel que representam os aparelhos, descrevendo as múltiplas e complexas operações às quais se dedicam os cientistas em torno dos enunciados que produzem em vista de construir fatos convincentes.

Nos terceiro e quarto capítulos, Latour e Woolgar focalizam a questão da fabricação dos fatos científicos conjugando dois procedimentos. O primeiro consiste em uma análise do processo pelo qual a estrutura do TRF(H)[1] foi estabelecida ao final dos anos 1960. Trata-se nesse caso de fazer o estudo tratar da ciência feita. O segundo procedimento vem completar o precedente, interessando-se pela ciência que está sendo feita, pelos "microprocessos de construção social dos fatos", assimiláveis na atividade cotidiana do laboratório. O objetivo desses dois capítulos é defender duas teses distintas mas ligadas entre si. A primeira assimila e reduz a atividade científica a uma atividade de construção que não pode ser regida, como postulam os epistemólogos, pelas leis da lógica e que tampouco seria o produto de uma racionalidade superior. A segunda tese, correlativa à primeira, sustenta, de uma forma ambígua, o anti-realismo.

Quer se tome em consideração o modo pelo qual Schally e Guillemin "descobriram" o TRF, quer se estude as trocas nas conversações cotidianas entre os pesquisadores, parece impor-se a seguinte constatação: todo raciocínio e toda decisão ocorrem em um contexto complexo, no qual se misturam diferentes tipos de interesse e processos de pensamento

1 Trata-se da abreviação de *Thyrotropin releasing factor*, uma substância produzida em quantidade infinitesimal pelo hipotálamo. Ela permite a secreção pela hipófase de um hormônio (a tireoestimulina) que comanda a atividade da tiróide que tem, ela própria, um papel regulador importante no crescimento, na maturação ou ainda no metabolismo geral.

diferentes. Além disso, qualquer que seja a perspectiva adotada – ciência feita ou ciência em curso de fazer-se –, parece que se está constrangido a dar crédito à idéia segundo a qual os fatos científicos são "socialmente" constituídos por meio de dispositivos no centro dos quais a escrita ocupa uma posição central. Para Latour e Woolgar, a atividade científica resume-se à superposição de jogos de escrita. A escrita está no princípio da construção dos fatos, permite a inversão da relação entre objetos e inscrições (gráficos, quadros estatísticos etc.) e permite assentar a faticidade dos fatos científicos, apagando toda referência ao contexto prático do trabalho científico. É ela, ainda, que permite dar aos fatos científicos alguma estabilidade no tempo e uma capacidade de resistência aos assaltos críticos dos concorrentes. Ao longo desses dois capítulos, Latour e Woolgar não se encontram muito longe de uma forma de nominalismo. Eles afirmam com força e em várias ocasiões, de um lado, a tese segundo a qual os "objetos" não existem *a priori* e, de outro lado, sua recusa de levar a sério o posicionamento realista dos cientistas, do qual convém afastar-se porque ele se revela uma "filosofia espontânea", que torna opaca a realidade da atividade científica.

O capítulo 5, enfim, é consagrado a uma análise mais "clássica" do que os próprios autores chamam de "campo" científico. A proposição dos autores se inscreve assim no prolongamento das análises desenvolvidas por Bourdieu, quatro anos antes (cf. Bourdieu, 1975), em quem louvam o "sociologismo", por sua capacidade de produzir uma visão desencantada da ciência, como uma atividade interessada na monopolização do crédito científico. Entretanto, para Latour e Woolgar, a sociologia da ciência de Bourdieu apresenta dois defeitos: (1) ela cria um impasse sobre o conteúdo das ciências; (2) ela reduz o crédito científico a um capital de reconhecimento.

A inovação de Latour e Woolgar situa-se na proposta de alargar a noção de crédito àquela de "credibilidade". Os homens de ciência investem em assuntos com os quais estimam que obterão ganhos substanciais de credibilidade. Os investimentos tomam várias formas: publicações, aperfeiçoamento de instrumentos, protocolos etc. Essas produções científicas podem ser, então, convertidas no curso de um "ciclo de credibilidade", sob a forma de um "crédito de reconhecimento", de subsídios, de fundos, de pessoal que permitirão tornar perene a atividade de produção. Como em Bourdieu, esta última é uma atividade de tipo capitalista, no sentido que o objetivo dos pesquisadores não é simplesmente a acumulação de um crédito de reconhecimento, mas "a reinversão contínua dos recursos acumulados" (Latour & Woolgar, 1988, p. 205) e, mais amplamente, a extensão e a aceleração do ciclo de credibilidade "tomado como um todo" (Latour & Woolgar, 1988, p. 218). Além disso, se Bourdieu leva em conta o fato de que a competição se desenvolve em um universo regrado, Latour e Woolgar não dão qualquer lugar a essa realidade em suas análises.

Todos esses desenvolvimentos relativos ao funcionamento da comunidade científica como um mercado prejudicam a ambição assumida pelos autores de produzir uma sociologia da ciência radicalmente simétrica. Isto posto, essa caracterização da comunidade científica encerra-se na descrição de uma atividade de trabalho cujo objetivo último é domesticar a natureza para domesticar a audiência e reproduzir-se enquanto produtor de ciência. Outros autores, ao contrário, vão aproximar-se mais ao objetivo de extensão do princípio de simetria. Esse é o caso, entre outros, de Knorr-Cetina e de Lynch.

Em 1981, Knorr-Cetina publica o resultado de uma enquete etnográfica consagrada a uma equipe que trabalha em proteínas de plantas (Knorr-Cetina, 1981). Seu objetivo é reconstruir o encadeamento de decisões e de negociações associadas ao trabalho de pesquisa. Para ela, os fenômenos cognitivos operantes na ciência são assimiláveis às produções híbridas que trazem a marca da lógica de indexação característica de sua produção. Não se trata, para ela, de produtos de uma racionalidade separada, específica, científica. Eis por que afirma a necessidade de atentar ao contingente, às circunstâncias locais: os cientistas elaboram interpretações locais, *know how* locais. As interpretações locais remetem, de fato, a três tipos de práticas: a seleção de substâncias e de dispositivos instrumentais, a medida das durações ligadas à realização das experiências, a escolha de itinerários metodológicos. Em suas análises, Knorr-Cetina se alimenta da etnometodologia de modo explícito. Empresta dela principalmente o conceito de indexicalidade, que lhe permite sublinhar a influência do contexto na produção dos fenômenos cognitivos e insistir no fato de que esses últimos estão irremediavelmente marcados pelas condições de sua produção, a tal ponto que é impossível apreender-lhes o sentido sem retornar ao contexto.

Encontra-se, em muitos aspectos, os mesmos argumentos e as mesmas proposições em um trabalho de Michael Lynch que trata de um laboratório de biologia. Lynch sustenta fortemente a indissociabilidade dos produtos com relação ao processo de produção. A pesquisa resulta da mobilização de trocas, de práticas técnicas e de metodologias amplamente fundadas nas competências tácitas, uma espécie de senso prático comum. De fato, ao mesmo tempo em que produzem fenômenos cognitivos, os pesquisadores produzem a ordem social local que marca seus produtos (cf. Lynch, 1985).

Os trabalhos que acabam de ser descritos inscrevem-se bem na linhagem do Programa forte, ao mesmo tempo em que marcam, claramente, suas diferenças com relação às realizações concretas desse programa. Desde 1979, já o dissemos, Latour e Woolgar propuseram "prolongar" o princípio de simetria e ser, assim, mais radicalmente construtivistas que os "fortistas". Três anos após a aparição de *Laboratory life*, Callon e Latour publicam, na França, uma coletânea de textos essencialmente composta de contribuições "fortistas". Eles redigem a introdução da obra, na qual celebram os textos de MacKenzie, Harry Collin, Farley e Geison em vista de sua fineza, ao mesmo tempo em que os apresentam como obsoletos e profundamente sociologistas (Callon & Latour, 1982).

O centro da argumentação de Callon e Latour está constituído pela constatação segundo a qual se os epistemólogos não consideram senão o lado da lógica e da natureza, os defensores do Programa forte, mesmo tendo o mérito de olhar da perspectiva da sociedade, limitam-se a ela e esquecem, assim, a natureza. Eles compartilham a crença na existência de uma sociedade, na existência de estruturas sociais e de dispositivos culturais nos atores. O caráter incerto da natureza não pode explicar, segundo eles, a estabilização dos conhecimentos; a natureza tolera certa pluralidade de interpretações. Assim, os defensores do Programa forte voltam-se para a sociedade e reintroduzem, em nome do princípio de simetria, uma assimetria ilegítima entre a natureza e a sociedade.

Evidentemente, dizem Callon e Latour, a natureza é incerta e instável, mas ela diz coisas, e se ela fala através de diagramas, de gráficos e de quadros, é porque os cientistas põem em ação procedimentos de domesticação. Por que, então, perguntam de alguma maneira Callon e Latour, silenciar sobre essa atividade? Quando um sociólogo entra em um laboratório para observar a atividade científica, é o mesmo que distinguir o social do natural? Não! Existe nesse universo particular uma heterogeneidade que é preciso quebrar. No caso, por exemplo, de uma controvérsia científica que chega ao término, é bastante discutível procurar uma explicação da vitória de um argumento exclusivamente do lado da sociedade. Bloor e seus epígonos têm razão em querer explicar tanto as vitórias como as derrotas científicas por causas do mesmo tipo. Mas é ilegítimo, para Callon e Latour, procurar essas causas unicamente do lado social. Isso seria instaurar uma nova assimetria.

A solução que Callon e Latour propõem para pôr fim a essa segunda assimetria é radical: abandonar as noções separadas de "sociedade" e "natureza" Quando desdobram suas atividades, os cientistas não dissociam o social e a natureza, eles os tecem em conjunto: deve-se partir dessa realidade da indissociabilidade dos fatores sociais e dos fatores naturais, e o sociólogo deve dar conta dessa atividade de tessitura, de construção. Essa sociologia da ciência radicalmente construtivista, da qual Callon e Latour procuram convencer-nos, desemboca em uma "teoria do ator-rede", que se trata agora de examinar.

1.3 Um exemplo de versão radicalmente construtivista: a teoria do ator-rede

Para os defensores da teoria do ator-rede, a hipótese defendida por Bloor, de uma sociabilidade dos conteúdos científicos é boa, mas sua defesa não poderia passar pela pesquisa dos liames de causalidade entre o social e o cognitivo. Se Bloor tem razão de militar em favor de uma igualdade de tratamento dos diferentes pontos de vista que se opõem nos debates científicos, se ele tem razão de defender o princípio de uma explicação das crenças verdadeiras e falsas por causas dos mesmos tipos, ele se engana quando aceita tratar, de forma separada e em registros diferentes, o modo pelo qual os cientistas consideram a natureza e a sociedade. O sociólogo da ciência não pode tomar como ponto de partida uma referência a estruturas sociais, a regras consideradas determinantes das condutas dos indivíduos e existentes fora deles. Ele deve descrever as operações de construção da natureza e do mundo social elaboradas pelo cientista, e é sob essa condição que ele pode compreender no que a ciência é social de ponta a ponta. É assim que procede, por exemplo, Callon, quando tenta compreender como se constituiu, progressivamente, um saber científico sobre as vieiras entre os anos 1970 e 1980 (cf. Callon, 1986).

Tudo começa por uma constatação: no curso dos anos 1970, o estoque de vieiras em Brest diminui, não apenas por causa dos predadores e das condições climáticas, mas igualmente por causa da pesca predatória praticada pelos pescadores. Em 1972, realiza-se um colóquio em Brest com a participação de cientistas e representantes dos pescadores. O intercâmbio se organiza em torno de três pontos:

> (1) Descoberta, por pesquisadores, de uma cultura intensiva de vieiras no Japão que teria permitido uma melhora no estoque;
>
> (2) desconhecimento dos mecanismos de crescimento das vieiras;
>
> (3) atividade de pesca intensiva com conseqüências negativas na baía de Saint-Brieuc.

Dez anos mais tarde, nota-se:

(1) Existência de um corpo de conhecimentos científicos certificados;

(2) emergência de um grupo social (os pescadores da baía de Saint-Brieuc) unidos em torno de privilégios;

(3) existência de uma comunidade de especialistas em vieiras.

Como analisar essa evolução?

Seguindo, nesse aspecto, a Michael Lynch (1982), Callon defende a tese segundo a qual o fantasma de uma sociologia que toma distância para explicar teoria e práticas experimentais deve ser abandonado. É necessário que o sociólogo siga de perto os cientistas na construção da natureza e na de seu entorno social, na medida em que procedem continuamente a uma análise do mundo no curso prático de sua análise da natureza. De um ponto de vista prático, o sociólogo deve enquadrar o modo pelo qual os atores definem e associam os elementos que compõem o mundo no qual eles evoluem e que é inseparavelmente social e natural. Dito de outro modo, a sociologia consiste em apreender e, em certa medida, parafrasear o trabalho de formação da rede dos elementos de contexto que os atores operam no quadro de suas atividades e, principalmente, no quadro de suas práticas discursivas. Em seu artigo, Callon propõe retraçar uma parte desse trabalho, seguindo mais particularmente os pesquisadores em suas operações de construção e desconstrução da natureza e da sociedade.

Essas operações são assimiláveis a procedimentos de domesticação que Callon reúne sob o termo "tradução". Ele distingue, em sua análise, quatro momentos fortes:

(1) A *problematização*, etapa no curso da qual os pesquisadores constroem sua incontornabilidade e a de um programa de pesquisa necessário a todos os atores, sejam eles pescadores, cientistas ou vieiras;

(2) o *interessamento*, fase no curso da qual os pesquisadores estabilizam a identidade dos atores definidos na fase de problematização, incluindo-se a identidade das vieiras;

(3) o *alistamento*, depois de completada a fase de interessamento, é mais difícil de conseguir para as vieiras – que se recusam, por vezes, a fixar-se sobre os coletores; e

(4) a *mobilização dos aliados*, no curso da qual se interroga pelo estatuto representativo dos diferentes porta-vozes dos atores em presença.

Ao término desse processo, chega-se a um resultado tangível mas também reversível: as vieiras se fixam sobre coletores, os pescadores afirmam querer repovoar a baía de Saint-Brieuc e os colegas cientistas dos pesquisadores admitem a validade dos resultados. Os três pesquisadores conseguiram constituir-se como porta-vozes das vieiras, dos pescadores e de seus colegas cientistas; todos esses atores encontram-se, a partir de então, estreitamente ligados entre si a ponto de constituir um ator-rede. Os três universos separados do início são unificados – pelo menos provisoriamente – por um processo de "tradução" e é ao esclarecimento desse processo que o sociólogo deve consagrar-se. Seu objetivo é dar conta, com um repertório conceitual único, do modo pelo qual os atores se domesticam entre si, formando uma densa malha de relações, na qual eles adquirem seu sentido pleno, ao ponto de deixarem de ter sentido fora da rede.

O trabalho de "tradução" resulta, assim, na coordenação das ações e em relacionar situações e mundos que os sociólogos têm, com certa freqüência, tendência a pensar como irremediavelmente separados. Não existe mais, de um lado, a ciência e, de outro, a sociedade, de um lado, a natureza e, de outro, o social; existe uma rede de atores-ações-situações-mundos (cf. Courtial, 1994). Essa rede é o produto do trabalho dos próprios atores, um produto instável, evolutivo, cuja compreensão não necessita que o sociólogo faça intervir "atores imutáveis" humanos (classes, sujeito...) ou não humanos (gravitação, libido, progresso...): basta estar atento ao constante trabalho de reticulação, no qual os atores se ligam a outros atores, sejam eles humanos ou não. O caráter instável, contingente e reversível dos produtos desse trabalho interdita toda ambição de estabelecer leis gerais. Aqui, o caráter social dos conteúdos e das práticas científicas não é apreensível senão a partir de tentativas de modelização fracas, estritamente dependentes da descrição. A detecção das conexões estabelecidas pelos atores entre entidades, argumentos e situações faz parte da explicação ou da compreensão, tais como os sociólogos as entendem classicamente.

O conjunto das contribuições descritas nesta primeira parte não constitui um todo completamente integrado. Entretanto, um conjunto de pontos comuns dá a elas certo ar familiar. Enunciamos esses pontos sob a forma de proposições que tratam do próprio objeto da sociologia da ciência, sua epistemologia, sua metodologia. O desafio da segunda parte deste capítulo é apresentar uma crítica refletida dessas teses.

2 A "nova" sociologia da ciência

As abordagens tratadas acima certamente são novas, de uma parte, porque elas propõem uma visão da atividade e do campo científico radicalmente oposta à abordagem dos funcionalistas e, de outra parte, porque elas resultam de uma concepção particular da sociologia – que não é forçosamente inovadora.

2.1 Uma concepção renovada da ciência?

Contrariamente à sociologia de linhagem mertoniana ou peri-mertoniana,[2] as novas abordagens sociológicas da ciência possuem como ponto comum interessar-se de perto pela pesquisa em ato e proceder a uma "etnografia da empiria" (Knorr-Cetina, 1996). Muitos trabalhos, que descrevem as operações de fabricação e de circulação de enunciados, vieram à luz, colocando em evidência toda a inanidade do modelo clássico da correspondência mundo/enunciado.

Os cientistas não trabalham ou não discutem acerca de um mundo exterior. Quando observam, percebe-se que discutem as imagens produzidas por tal ou qual instrumento, vê-se que dissecam curvas, mapeamentos coloridos, tabelas de medidas, gráficos, transformam fórmulas em fórmulas, enunciados locais em enunciados mais gerais. Em um artigo intitulado "O topofil de Boa Vista", Latour se dedica à descrição das operações de transformação da natureza postas em operação por uma equipe de especialistas em expedição na floresta amazônica (Latour, 1993, 2001). O problema que os ocupa é o de saber se a floresta amazônica recua ou se avança e, sobre esse ponto, o acordo entre a botânica e os pedólogos da equipe está longe de ser completo. Para a pesquisadora de botânica, os dados não são claros, mas ela tem, entretanto, a intuição de que a floresta avança. Para os pedólogos, é, necessariamente, a savana que traga a floresta, porque os solos vão da argila à areia. A savana arenosa não pode senão degradar o solo argiloso necessário ao crescimento da floresta.

---

2 Os dois qualificativos remetem respectivamente aos trabalhos diretamente influenciados por Merton e àqueles que, sem sofrer essa influência direta, reforçam o sistema mertoniano, tais como Price ou Ben-David (cf. Lécuyer, 1978).

Uma vez escolhido o local de observação, cada um dos protagonistas põe em operação um conjunto de técnicas que permitem trazer elementos de resposta para essa questão. Assim, a botânica procura esquadrinhar uma parcela da floresta e coloca etiquetas nos ramos das árvores que correspondem às coordenadas que lhe permitem localizar as espécies dentro da área esquadrinhada. Graças a esse procedimento, ela registra de modo rigoroso, em seu caderno de notas, as variações de crescimento e de aparição de espécies. Desse modo, ela vai reunindo os testemunhos silenciosos de sua passagem pelo lugar. Após tê-los retirado, feito secar em uma estufa a fim de eliminar os parasitas, inserindo-os depois em envelopes de papel-jornal, ela guardará essas amostras em um armário com compartimentos, o qual servirá de proteção e de classificador, no qual os representantes, que dormem em seus envelopes de papel, receberão um código. De sua parte, os pedólogos adotam o mesmo tipo de procedimentos. A equipe recorre às velhas técnicas da agrimensura e ao topofil,[3] com o fim de esquadrinhar o terreno para fazer então o levantamento. Uma vez que o topofil tenha feito sua obra, a parcela tornou-se um espaço euclidiano bem circunscrito assimilável a um "protolaboratório". É possível, em cada um dos quadrados desse espaço, coletar uma porção de terra com o auxílio de uma sonda, para depois dispô-la em um pedocomparador, uma espécie de gaveta compartimentada em pequenas divisões. As coletas não se fazem de qualquer modo. Elas supõem um protocolo de sondagem estandardizado e é uma geógrafa que se encarrega de ser assim a garantia do pro-

3 O topofil é um mecanismo simples: uma bobina de fio que se desenrola ao fazer girar uma polia que ativa, por sua vez, as rodas dentadas de um contador. Permite, assim, esquadrinhar e avaliar a distância percorrida.

tocolo: a cada coleta, ela inscreve as coordenadas do lugar de sondagem, o número do buraco, a profundidade da amostra, anotando tudo o que é ditado por dois pedólogos da expedição. Esse procedimento é a garantia de uma estandardização do protocolo da experiência, de uma possibilidade de reencontrar os dados.

De volta a seu escritório, a botânica dispõe de tudo que é necessário para trabalhar, ela tem a floresta sem a floresta. As paredes repletas de armários que a cercam são outros tantos quadros quadriculados em que as plantas encontram seu lugar em uma taxonomia já antiga, e vão contribuir para o trabalho da botânica bem mais que o que ela perdeu ao deixar a floresta. Se ela tivesse ficado na selva verde, ela não teria de modo algum o conforto necessário para o exame minucioso dos espécimes que coletou, ela não poderia, como faz em seu escritório, pondo-os sobre a mesa, abarcá-los pelo olhar, aceder a uma visão sinóptica, comparar os espécimes entre si, os que ela acabou de coletar a outros representantes coletados há alguns anos. Como diz Latour, as plantas não se tornaram totalmente signos – como as letras – mas elas não são mais totalmente plantas. Foram coletadas, secadas, classificadas em função dos princípios taxonômicos de uma ciência multissecular que não se assemelham aos princípios de sua gênese. O mesmo acontece com as porções de terra contidas no pedocomparador dos pedólogos. Como os armários com compartimentos da botanista, o pedocomparador permite-lhes abarcar, com um só golpe de olho, todos os pontos da sondagem a todas as profundezas; eles percebem nitidamente diferenças de cor.

Depois chega o tempo da escrita. Para Latour, ela constitui o prolongamento do trabalho de campo, do trabalho experimental. O que resta finalmente da floresta, da savana, do solo? Palavras, um diagrama que reúne todos os dados obtidos, tudo isso tomando a forma de um artigo. O diagrama está no centro do relato, ele representa a organização dos dados do pedocomparador que, em si mesmo, deve sua pertinência ao fato de que permitiu a classificação, a codificação do solo extraído de um sítio esquadrinhado. Não há ruptura nesse encadeamento de operações e, entretanto, ao final, a distância entre todas essas inscrições e a floresta é grande.

O que diz esse trabalho de Latour pode ser resumido por uma fórmula emprestada a Callon: "à venerável transcendência entre o sujeito e seu objeto substituem-se os longos encadeamentos de microtranscendências" (Callon, 1998, p. 257). Kant se enganou. Não existem, de um lado, as coisas em si e, de outro, um ego transcendental, com os fenômenos em seu ponto de encontro. Estes últimos situam-se por toda a cadeia de transformação no curso da qual eles perdem certas propriedades e ganham outras, que os tornam compatíveis com o que Latour chama os "centros de cálculos já instalados": laboratórios, institutos diversos, arquivos, bancos de dados etc. A adequação entre a natureza e os enunciados não pode mais ser considerada como uma relação de "correspondência", ela é "encaixada em uma rede de instrumentos, de protocolos de experiências, de competências incorporadas, de características, de enunciados que foram tornados estreitamente solidários entre si" (Callon *apud* Jurdant, 1998, p. 257).

É à descrição desse processo de transformação que se dedica igualmente Trevor Pinch, a propósito da detecção dos neutrinos solares na astrofísica (cf. Pinch, 1985). A detecção dessas partículas, que são o produto de reações de fusão nuclear, que se supõe produzirem-se no centro do Sol, é ardilosa. Sua invisibilidade implica que se construa um dispositivo instrumental complexo, cujo primeiro elemento é uma cuba de 400.000 litros de percloretileno, instalada a 1.800

metros de profundidade em um poço de mina. O percloretileno contém um isótopo de cloro com o qual os neutrinos podem interagir, produzindo assim o Argônio 37. Imediatamente, a questão de saber como detectar os neutrinos sofre uma primeira tradução: como detectar a presença ou a ausência do Argônio 37? Pinch mostra que os cientistas não observam realmente os átomos do Argônio 37. Sua extração supõe de fato que se faça passar hélio gasoso, para coletar o Argônio, em um coletor de carvão colocado em um contador Geiger, onde ele se desintegra, emitindo elétrons Auger, que o contador permite enumerar. Mas o processo de tradução não pára por aí; não é suficiente contar os cliques do contador para afirmar ter detectado o Argônio 37, pura e simplesmente porque esses cliques podem provir de outras fontes. Convém, portanto, separar o sinal do "ruído de fundo", e isso necessita da mobilização de dispositivos novamente complexos. Dito de outro modo, o processo de observação é mediado por todo um encadeamento de manipulações e de práticas metrológicas, que Pinch assimila a um mecanismo de "exteriorização da observação". Lynch fala, de sua parte, em uma lógica similar, em "retina exteriorizada" (cf. Lynch, 1988).[4]

Os trabalhos que acabam de ser lembrados mostram que o trabalho científico apóia-se fortemente na colocação em escrita, quer esta seja feita como resultado de dispositivos instrumentais geradores de imagens, de gráficos, de fotografias, quer pelos próprios pesquisadores, quando prestam contas de seus resultados. Uma das particularidades da nova sociologia da ciência é precisamente atribuir um lugar importante – antes, decisivo – à escrita, na produção de enun-

4 O trabalho de K. Amman e K. Knorr-Cetina sobre a fabricação de "dados visuais" é igualmente exemplar dessa maneira de descrever a observação (Amman & Knorr-Cetina, 1988).

ciados de pretensão universal, até o ponto de fazer passar o caráter universal desse saber como o resultado de sutis jogos de escrita.

A multiplicação de etnografias de laboratório contribuiu para que se levasse em conta dispositivos e práticas de inscrição na análise da produção dos fatos científicos; o que se traduziu no desenvolvimento de três tipos de trabalhos: os primeiros tratam do trabalho de enunciação (Latour & Fabbri, 1977; Latour & Woolgar, 1979; Latour, 1989), os segundos, da produção de imagens (Latour & De Noblet, 1985) e os terceiros, de seu tratamento e de sua interpretação (Lynch, 1985, 1988; Amman & Knorr-Cetina, 1988). Aqui, desejamos tratar da questão do trabalho de enunciação, através das contribuições de Latour.

Em *La vie de laboratoire* (*A vida de laboratório*), Latour e Woolgar deixam claro, de início, que sua visita antropológica é solidária de uma escolha de perspectiva, a saber, a de focalizar a análise sobre as operações efetuadas pelos pesquisadores sobre os enunciados. Trata-se, para eles, de tomar o partido de um tipo de textismo sociológico: descrever a atividade científica, antes de tudo, como um conjunto de práticas discursivas.[5] É assim que os autores empreenderam a leitura de um conjunto de artigos, produzidos no laboratório de Guillemin entre 1970 e 1976, a partir da hipótese segundo a qual existiria "uma relação forte entre os processos de inscrição literária e a 'verdadeira significação' dos artigos" (Latour & Woolgar, 1988, p. 73).[6] De fato, existe uma con-

---

5 Essa tomada de posição a favor dos textos não acarreta unicamente uma análise de práticas de escritura, ela pode igualmente tomar a forma de análises de conversação (cf. Latour & Woolgar, 1979; Lynch, 1985, 1993).

6 Notemos de passagem que o que os autores designam por "verdadeira significação" não é, em nada, aquela que os próprios pesquisadores atribuem a suas produções.

gruência entre o que se chama fato científico e a "consecução da marcha dos diferentes processos de inscrição literária" (Latour & Woolgar, 1988, p. 74). Para compreender o grau de "faticidade" de um enunciado, basta estar atento aos processos de inscrição que o tornam possível.

Os autores recolheram, na literatura, cinco tipos de enunciados. Os enunciados de tipo 1 remetem a simples conjecturas ou especulações, coletáveis, geralmente, ao final do artigo ou no curso de conversas. Os enunciados de tipo 2 possuem a particularidade de conter "modalidades";[7] insiste-se, aqui, sobre a "generalidade dos dados" disponíveis ou não; as "modalidades" assumem freqüentemente a forma de hipóteses passíveis de testes ulteriores. Os enunciados de tipo 3 comportam expressões do gênero: "A tem uma certa relação com B", imbricadas com outros enunciados que são modalidades. Dito de outro modo, os enunciados de tipo 3 podem ser assimilados a afirmações do tipo: "pensa-se geralmente que A está ligado a B" ou ainda "não se sabe ainda como A está ligado a B". A supressão das modalidades nos enunciados de tipo 3 pode conduzir à produção de um enunciado de tipo 4, que remete a um saber aceito, explicitamente expresso. Os enunciados de tipo 5 "correspondem a um fato tomado como adquirido"; eles são geralmente pouco presentes nas conversações porque fazem parte de um conhecimento tácito, de um estoque cognitivo sobre o qual não é mais necessário retornar porque se trata de evidências.

Esses cinco tipos de enunciados podem ser colocados ao longo de uma linha cujas extremidades são o artefato e o fato.

---

7 A noção de "modalidade" designa uma expressão que modifica ou qualifica o predicado. A modalização é o meio que utiliza o enunciador para tomar posição com relação a um enunciado. Dizer "A é B" não significa a mesma coisa que dizer "parece que A é B".

Assim, a toda mudança de tipo de enunciado corresponde uma mudança no grau de faticidade.

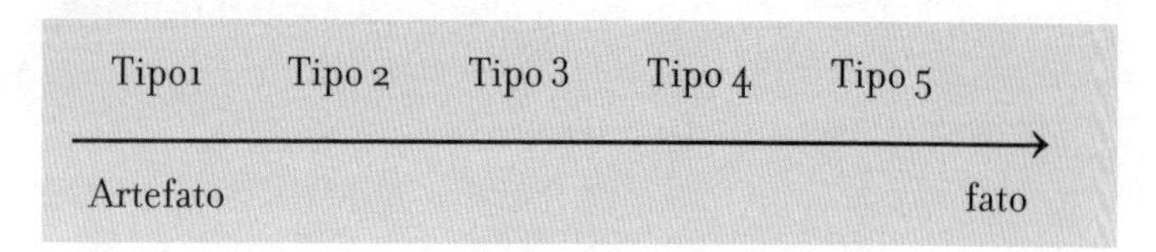

Segundo Latour e Woolgar, a atividade do laboratório tem como efeito transformar enunciados do tipo 1 em outro, com o objetivo de produzir tantos enunciados do tipo 4 quanto possíveis.

As proposições de Latour e Woolgar poderiam ser entendidas de duas maneiras: ou o trabalho de enunciação reflete o estado da progressão do processo de validação dos resultados, ou ele é a pista de estratégias retóricas, postas em operação pelos cientistas para estabilizar, consolidar, petrificar as cadeias de tradução que eles estabelecem, tornando durável sua aceitação pelos concorrentes. Dito de outro modo, ou o trabalho de enunciação reflete o trabalho da prova, ou ele traduz uma estratégia de persuasão. Latour e Woolgar responderiam, sem dúvida, que a alternativa não é senão um falso problema, não porque, quando escrevem, os pesquisadores pretendam demonstrar e persuadir, mas antes porque demonstrar é persuadir, provar é dar adesão. "Nada pode distinguir os momentos em que há força dos momentos em que há razão", escreverá Latour alguns anos mais tarde (Latour, 1984).

Quando em 1977, Latour publica, com Paolo Fabbri, um artigo sobre a retórica da ciência a partir do estudo de um relatório de resultados assinado por Guillemin, Yamazaki, Jutisz e Sakiz junto à *Académie des Sciences*, a questão que os guia, em sua leitura, não é a de saber como os autores *pro-*

vam, mas quais são os procedimentos pelos quais procuram *persuadir*. O *a priori* fundamental que está no princípio de suas análises desse artigo resume-se a poucas palavras: "esse texto não transmite informação; ele age" (Latour & Fabbri, 1977). Como? Excluindo as modalizações quando os autores tratam de seus próprios resultados, reintroduzindo-as quando falam de resultados dos concorrentes – pois o nervo da crítica consiste em recolocar os enunciados dos adversários nas condições experimentais de sua produção –, dissimulando as aléias da experimentação e mobilizando aliados sob a forma de gráficos e de referências. Provar é persuadir por meio de jogos de escritura, perfeitamente governados e calculados. Em sua conclusão, os autores ficam satisfeitos de ter descoberto a "agonística" em lugar da "dedução", a "produção" em lugar da "representação", mas não descobriram finalmente o que tinham decidido desvelar?

As posições dos autores abordados desde o início deste capítulo com relação à questão da realidade é clara: que ela seja chamada natureza ou observável, ela não existe enquanto entidade que faz face ao espírito. O que isso pode significar? Duas respostas são possíveis.

Isso pode significar que a realidade é "realizada". Mobilizando instrumentos, saber incorporado, ciência feita, o pesquisador faz as entidades sofrerem um trabalho que as "realiza" em outro nível de abstração. Mas a tese da realização supõe, ao mesmo tempo, que se admita a existência de uma "realidade de partida". No próprio movimento pelo qual o pesquisador põe em funcionamento um protocolo de observação e mobiliza instrumentos, ele afirma a existência de alguma coisa, que existe fora de seu espírito e à qual ele pretende aplicar seus utensílios. Mas, ao mesmo tempo, ele é conduzido a ultrapassar essa alguma coisa para se projetar adiante, ele realiza o real em um nível de abstração maior. Dito de outro modo, a recusa do realismo ingênuo não passa, neste caso, por uma rejeição da idéia de realidade.

Na verdade, pensamos que os novos sociólogos da ciência defendem uma hipótese construtivista mais radical, uma espécie de nominalismo sofisticado. O que o pesquisador percebe da realidade nada mais é que aquilo que os instrumentos lhe permitem ver, a realidade é o que resulta das "cadeias de tradução", dos mecanismos que visam "exteriorizar a observação", de todas essas operações de fabricação e de circulação dos enunciados que constituem, de fato, a única realidade tangível. Essa interpretação parece ser congruente com o modo pelo qual os novos sociólogos da ciência tratam a questão da validade científica dos enunciados. Posto que a natureza não existe, a não ser através de dispositivos que a fazem falar com uma voz que não é uma, a definição da validade científica como adequação à realidade empírica não é mais aceitável (cf. Latour & Woolgar, 1979; Latour, 1984, 1989; Pinch, 1985; Pickering, 1984).[8] O que é, portanto, nessas condições, um enunciado cientificamente válido? Tratase de um conhecimento que acontece no tempo, porque os pesquisadores trabalharam na estabilização dos protocolos de observação e na circulação dos enunciados que conduzem à produção de fatos científicos.[9]

---

8 Para uma crítica rigorosa do trabalho de Pickering, ver Gingras & Schweber, 1986.

9 Os autores dos quais discutimos os trabalhos no quadro deste capítulo não empregam jamais o termo "protocolo"; nós o evocamos aqui em uma lógica de relatório. Definiremos um protocolo de observação e de colocação em circulação de enunciados como o conjunto dos saberes explícitos e implícitos e de operações que estão no início da observação e da escritura científica. Em seus escritos, os novos sociólogos da ciência adotam essencialmente dois pontos de vista sobre esses protocolos: um ponto de vista *seqüencialista*, quando eles são empregados para pôr em evidência encadeamentos de operações, de práticas – é o caso, por exemplo, de Latour em seu artigo sobre o topofil, ou de Pinch sobre a detecção dos neutrinos solares –,

Dito de outro modo, a validade científica de um enunciado mede-se pela estabilidade dos protocolos e, mais precisamente, pela *estabilidade de sua aceitação* pelos outros pesquisadores. De onde se segue, em primeiro lugar, que a validade de um enunciado é relativa, posto que ela depende estreitamente de protocolos e, em segundo lugar, que o essencial da atividade científica consiste no trabalho de estabilização dos protocolos, de seu *escoramento*.[10] Os procedimentos de escoramento descritos pela nova sociologia são essencialmente de três tipos:

> (1) replicação das experiências, densificação do trabalho experimental;
> (2) convocação de resultados obtidos por outros e como conseqüência de referências nos artigos, por exemplo;
> (3) estratégias destinadas a que os enunciados ganhem um sentido para os atores exteriores ao contexto local de produção – em geral, os outros "trabalhadores da prova" e os atores situados além das fronteiras da ciência.

Toda uma política de escoramento dos protocolos é assim posta em evidência pelos sociólogos que, freqüentemente, deixam-se levar pelo desenvolvimento de análises nietzschianas da atividade científica como práticas resolutamente ligadas pelo desejo de potência; a nova sociologia da ciência se transforma com muita freqüência em uma espécie de polemologia.

---

e um ponto de vista *formalista* quando tomam em consideração o conjunto dos elementos humanos constitutivos de protocolos *sem especificar as relações que os ligam* – ao falar de "rede sociotécnica", por exemplo.

10 Em sua primeira acepção, esse termo remete a uma operação de alvenaria destinada a reforçar um muro.

Contudo, antes de empreender a exposição desse terceiro aspecto do trabalho científico, é necessário insistir sobre dois pontos críticos. É preciso constatar, em primeiro lugar, que se a validade de um enunciado científico depende de uma aceitação durável do protocolo que está no início de sua produção, tem-se o direito de perguntar sobre quais podem ser as condições que tornam sua aceitação não *durável*, mas simplesmente *possível*. Sobre esse ponto, a nova sociologia da ciência não traz senão respostas "assimétricas", em termos de crenças ou interesses (cf. Barnes, 1977; Collins & Pinch, 1993; Farley & Geison, 1991; Latour & Woolgar, 1979; Pickering, 1985): o social retorna pela porta de trás. Em todo caso, parece nítido que as novas abordagens sociológicas da ciência, tão prontas a negar qualquer interesse à epistemologia, não conseguiram chegar a responder a uma das questões essenciais que formula essa disciplina, a dos critérios de aceitabilidade científica de um enunciado. De outro modo, pode-se perguntar se a recusa da idéia de realidade não se traduz *de fato* pela rejeição *a priori* da hipótese segundo a qual estudar a "realidade" faz parte do horizonte prático dos homens de ciência, de sua ideologia profissional e pode, a esse título, explicar suas práticas, principalmente o fato de recorrerem a dispositivos instrumentais. Desconfiando do realismo ingênuo característico, segundo eles, da epistemologia, os promotores da nova sociologia da ciência parecem ter descartado *a priori* a hipótese de uma influência das crenças realistas sobre a atividade científica.

Dado que a validade de um enunciado liga-se a uma aceitação estável e durável do protocolo que está em seu início, a atividade do pesquisador que a produziu está, portanto, resolutamente orientada para a estabilização, o reforço e a perenização desse protocolo. Esse imperativo marca principalmente, de maneira bastante forte, as estratégias de escritura científica.

Em *La science en action* (*A ciência em ação*), Latour evoca longamente a idéia segundo a qual inserções e referências constituem meios de armar os textos científicos, permitindo-lhes resistir "aos assaltos de um ambiente hostil" (Latour, 1989). A noção de inserção remete aos gráficos, tabelas, diagramas produzidos pelos instrumentos. Numerosos trabalhos de sociologia da ciência debruçaram-se sobre as práticas de citação, talvez porque os índices de citação são utilizados em certas pesquisas como indicadores de notoriedade. Para Latour, a citação pode ser assimilada à convocação de aliados. Essa convocação se faz segundo diferentes modalidades. É possível citar um autor sem mais. É possível igualmente escolher a citação de um comentário que modifica o estatuto do trabalho citado. Segundo o caso, o autor da citação pode negar a um enunciado seu estatuto de fato ou, ao contrário, reforçá-lo nesse estatuto. A força do texto científico vem desse empilhamento de referências e de inserções, de colocá-las em relação; elas atestam certa profundidade de visão. Para Latour, as referências e as inserções constituem linhas de defesa sucessivas às quais o leitor está obrigado a ligar-se, se ele deseja pôr-se como crítico.

Se as estratégias retóricas das ciências são consideradas como essenciais, elas não constituem os únicos utensílios de fechamento cognitivo: a ciência é também, mais amplamente, um trabalho de acumulação de reconhecimento e de poder. Investe-se nesse capital simbólico a fim de assentar a estabilidade dos enunciados, permitindo ao cientista ter peso nos debates científicos, quando dos procedimentos de problematização e de domesticação aos quais os pesquisadores submetem seus pares, mas também os investidores, os políticos etc.

O interesse dos sociólogos pela questão da notoriedade não é nova. Como vimos no capítulo precedente, a sociologia mertoniana e peri-mertoniana trabalhou amplamente o domínio, usando termos diferentes, evidentemente, mas situados no interior do mesmo campo semântico. É assim que Blau, Glaser e Hagstrom falam de "visibilidade" e J. e S. Cole de "reconhecimento" (Blau, 1976; Glaser, 1963; Hagstrom, 1965; Cole & Cole, 1968). Um pouco mais tarde, Bourdieu evocará a notoriedade por meio do conceito de "crédito", ao passo que Latour e Woolgar vão preferir a noção de "credibilidade" (Bourdieu, 1975; Latour & Woolgar, 1979). Segundo Latour e Woolgar, o conceito de crédito apresenta o defeito de remeter unicamente a um capital simbólico; ora, o reconhecimento obtido pelos pesquisadores passa por formas mais materiais, como as bolsas ou os cargos. Além disso, a noção de credibilidade não designa unicamente as retribuições obtidas pelo pesquisador. Ela lembra o prestígio do qual gozam os pesquisadores junto a seus pares e a autoridade que esse prestígio permite exercer não apenas no interior do laboratório, mas igualmente nas instâncias que visam organizar a atividade científica em um nível mais amplo – tal como nas universidades e nos estabelecimentos públicos de pesquisa.[11] De agora em diante, o estudo da notoriedade não é mais, como nos funcionalistas, um meio de demonstrar o caráter meritocrático do funcionamento da comunidade científica, mas antes sua natureza profundamente agonística. A ciência torna-se uma arte do combate para fazer com que os outros aceitem seus enunciados, isto é, os protocolos que

---

11 Foi Arie Rip quem propôs muito claramente fazer da extensão do ciclo de credibilidade uma dimensão estruturante da organização contemporânea da ciência (cf. Rip, 1988).

estão no início de sua produção, persuadir as instituições do interesse das pesquisas empreendidas e da necessidade de empreendê-las etc.

A fortuna atual da nova sociologia da ciência não se liga unicamente à particularidade de sua abordagem das ciências mas, mais globalmente, à própria concepção de sociologia da qual ela é portadora e que está em simbiose perfeita com a famosa "virada descritiva", característica das ciências sociais do final do século xx.

2.2 Uma nova ortodoxia sociológica

Alguns dos trabalhos lembrados até aqui, mais precisamente aqueles que se inscrevem em uma decalagem crítica com o Programa forte, têm como ponto comum a defesa de uma concepção particular da sociologia, da qual pretendemos fazer aqui a crítica. Quatro qualificativos são suficientes para caracterizá-la: *descritiva*, *empirista*, *não causalista* e *não reflexiva*.

De início, é surpreendente constatar nesses trabalhos a ausência de estrutura teórica no sentido estrito do termo, isto é, de sistema hipotético-dedutivo. Ao contrário, eles se apóiam geralmente em repertórios de conceitos que lhes permitem descrever os fenômenos que observam. Trata-se, de algum modo, de linguagens de descrição. Na leitura dos trabalhos, percebe-se, em primeiro lugar, a variabilidade dessas linguagens de descrição, as noções que as constituem, mesmo se os fenômenos identificados são os mesmos – a noção de exteriorização da observação em Pinch remete, por exemplo, a um processo de tradução em Latour. Além disso, seu grau de estabilização, sob a forma de sistema conceitual, não tem a mesma intensidade nos diversos autores. Enfim, certas linguagens de descrição possuem um caráter *ad hoc*, enquanto outras são constituídas de noções mais genéricas, mais próximas de uma forma.[12]

Assim, quando Pinch se interessa pela observação na física, a propósito da detecção dos neutrinos solares, ele coloca em funcionamento um sistema de três conceitos: o de "exteriorização da observação", que designa o conjunto das operações que permitem ao pesquisador estudar uma cadeia de fenômenos substitutivos ao invés de um fenômeno diretamente inacessível, o de "contexto de prova", que remete a um conjunto composto de conhecimentos, de teorias, de hipóteses, de objetos e de observações, e o de "relatório de observação". Esses três conceitos, construídos a partir da observação empírica da atividade de observação, permitem-lhe propor particularmente uma releitura da controvérsia científica. Não se trata aqui de um verdadeiro "paradigma formal", no sentido de Boudon.

Ao contrário, a "teoria do ator-rede" corresponde antes a esse tipo de quadro. As noções de tradução, de interesse, de alistamento e de contra-alistamento de atuantes são noções-receptáculos que não fixam *a priori* a forma e a natureza dos fenômenos a estudar, mas definem uma perspectiva e um questionamento. Elas estão dotadas de um caráter genérico. Latour insiste sobre esse ponto: "A ANT é antes o nome de um lápis ou de um pincel do que o de um objeto que se deve-

---

12 Pode-se pensar aqui na noção de "paradigma formal" forjada por Raymond Boudon. Em um trabalho antigo onde interroga a polissemia da noção de teoria, R. Boudon propõe distinguir "teoria" – no sentido estrito lembrado acima –, "paradigma analógico", "paradigma formal" e "paradigma conceitual". A noção de paradigma "formal" remete à de "sistemas de proposições que [...] não se referem a qualquer conteúdo particular". Trata-se de quadros que "orientam a pesquisa e a análise e prefiguram a forma sintática na qual as proposições explicativas aparecem" (Boudon, 1971, p. 174-5).

ria desenhar ou pintar" (Latour, 2004, p. 156).[13] Trata-se de um conjunto de noções que tendem a afirmar que "é sobre o trabalho, o movimento, o fluxo e as mudanças que se deve colocar o foco" (Latour, 2004, p. 156). A noção de tradução designa um processo de pôr em relação atores que operam em registros diferentes e não coordenados até então, mas não diz nada *a priori* sobre a forma de que se reveste esse pôr em relação. Esse processo compreende, já o vimos, várias seqüências que podem sobrepor-se: a *problematização*, que consiste em uma definição de entidades e de relações que são estabelecidas entre si ou, dito de outro modo, em uma especificação da realidade que permanece hipotética e relativa; o *interessamento*, etapa do processo de tradução, cujo desafio é a estabilização e a realização da rede de alianças construída na etapa precedente; o *alistamento*, que remete a um mecanismo de atribuição de papel e atesta o sucesso de uma estratégia de interessamento.[14]

Percebe-se, aqui, que o conjunto das noções sobre as quais se apóia a teoria do ator-rede é constituído, de fato, por formas vazias, que é possível fazer funcionar para dados observacionais muito diferentes, a propósito de questões diversas. O paradigma formal que constitui a teoria do ator-rede é, de fato, uma estrutura relativamente aberta que pode deixar livre curso à atividade descritiva; não se trata de um quadro explicativo, mas de um guia para o trabalho etnográfico.

O fato de não se dotar de uma teoria no sentido estrito de sistema hipotético-dedutivo, mas de uma linguagem de descrição, deixa pressagiar uma posição empirista. Trata-se, no entanto, de um empirismo muito particular, que preten-

13 ANT é uma abreviação cômoda para *Actor Network Theory*.

14 Sobre a noção de interessamento, ver principalmente Callon & Law, 1982.

de descrever somente o observável *hic et nunc*. Na entrevista fictícia que Latour, encampando um professor "algo socrático", tem com um doutorando da *London School of Economics*, ele afirma muito claramente essa posição empirista que é, mais globalmente, a marca da nova sociologia da ciência:

> "Descreva simplesmente o estado de fato que se tem à mão."

E um pouco mais adiante, no momento em que o estudante levanta uma objeção baseada no fato de que existem talvez causas ou entidades invisíveis que agem de maneira escondida e que é necessário levá-las em conta, Latour responde: "as coisas invisíveis são invisíveis [...] Para que serve afirmar que existem coisas ativas, das quais não se pode provar que elas fazem alguma coisa?" (Latour, 2004, p. 156). De fato, o que é visível remete ao que os atores fazem ver em suas práticas e em seus discursos. O princípio essencial da ANT "é que são os próprios atores que fazem tudo, mesmo seus próprios quadros explicativos, suas próprias teorias, seus próprios contextos, sua própria metafísica e, até mesmo, suas próprias ontologias... Em suma, temo que a única direção a seguir é: ainda mais descrições" (Latour, 2004, p. 156). Resta ao sociólogo dar conta do trabalho reflexivo do ator em um repertório lingüístico diferente, verificando, por meio de enquetes, a credibilidade dessa descrição. Com efeito, é finalmente dela que depende a validade do discurso sociológico. Não há, portanto, sociologia possível a não ser a descritiva, não há descritivo que não seja observável e não há observável senão esse do qual o ator é consciente e que ele torna manifesto aqui e agora. Essa cadeia de equivalências é assimilável a um dos postulados essenciais da nova sociologia da ciência. Trata-se de uma forma de empirismo positivista e "instantaneísta".[15] Mas isso não é tudo. Como todo empirismo, o dos promotores da nova sociologia da ciência está estritamente ligado a um ponto de vista. Os trabalhos referidos ao longo de todo este capítulo têm como pano de fundo uma visão global do mundo social como espaço agonístico, no seio do qual se enfrentam concepções incomensuráveis da realidade e onde as vitórias são obtidas graças ao poder, quando ocorrem relações de negociação. Ainda que mascarado pela arte da descrição hiper-realista, esse pano de fundo ideológico não deixa de estar menos presente, manifestando-se aqui e ali, principalmente no estudo das controvérsias científicas.

O caso representado pelas análises sociológicas do debate Pasteur-Pouchet a propósito das teses heterogenistas permite dar a medida do peso desse pano de fundo ideológico sobre o trabalho de coleta dos dados de observação. Assim, no artigo que consagram a essa controvérsia, Farley e Geison identificam em 4 páginas os fatores externos que puderam ter peso sobre o trabalho científico de Pouchet, enquanto o inventário daqueles que explicam a vitória de Pasteur se estende por 17 páginas (cf. Farley & Geison, 1991). Dentre esses *fatores*, eles evocam principalmente a proximidade de

---

15 Um dos aspectos característicos da nova sociologia da ciência vincula-se precisamente à pouca atenção que seus promotores atribuem à história. O conjunto de monografias de laboratório preocupa-se com o curto prazo (Knorr-Cetina, 1981; Latour & Woolgar, 1988; Lynch, 1985). Da mesma maneira, os estudos de controvérsias tampouco necessitam de uma investigação de longo termo. A única exceção, sem dúvida, é a obra de Steve Shapin e Siom Shaffer, que trata de um experimentador extraordinário surgido da nobreza inglesa, Robert Boyle, e a controvérsia que o oporá a Thomas Hobbes, grande adversário do vazio (Shapin & Shaffer, 1985). Esse trabalho, mais amplamente centrado sobre a operação experimental, destaca-se não apenas por um sólido rigor empírico, mas também por levar em conta simultaneamente o discurso e o contexto histórico. É, além disso, freqüentemente citado por autores que, mesmo estando próximos da nova sociologia da ciência, não se encerram nesse quadro (ver principalmente Pestre, 1995).

Pasteur com o imperador Napoleão III. Ora, esta é bastante relativa segundo Raynaud; não é evidente a intervenção do poder imperial nas questões científicas. Por outro lado, o próprio Pouchet não hesitou em fazer intervir seus apoios políticos, a fim de ter peso na controvérsia e em seu regulamento. Ademais, com o fim de atestar as estreitas ligações entre Pasteur e o poder imperial, Farley e Geison recorrem, paradoxalmente, a episódios em muito posteriores à própria controvérsia. Eles tentam igualmente mostrar que a vitória de Pasteur estaria ligada a sua proximidade com o catolicismo: opondo-se às teses heterogenistas, ele fortalecia a idéia da criação bíblica. Esta tese encontra-se, também aqui, em contradição com os dados. Se a comissão da *Académie des Sciences* que apoiou Pasteur era composta, em grande maioria, por católicos convictos, também acontece que Claude Bernard, ainda que crítico ferrenho das teses de Pouchet, não era católico (cf. MacMullin *apud* Raynaud, 2003). Por outro lado, não é Pasteur que utiliza sua ortodoxia religiosa para apoiar suas teses, mas antes Pouchet, principalmente em sua obra *A heterogenia*, publicada em 1859. Segundo Raynaud, muitas das assimetrias reveladas na controvérsia por Farley, Geison, Latour e Vinck – este último enquanto comentador dos precedentes – deveriam ser revisadas e outras, que foram deliberadamente ocultadas, deveriam ser levadas em conta, pondo assim em causa o equilíbrio de forças até então definido como favorável a Pasteur. Segundo Raynaud, essa cegueira empírica estaria ligada ao fato de que os autores mencionados ter-se-iam remetido a uma fonte documental, a obra de um certo Pennetier, aparecida em 1907 a propósito da controvérsia (cf. Raynaud, 2003). Sem dúvida, seria de incriminar também a propensão que os novos sociólogos da ciência têm de fazer da potência social um fator proeminente no fechamento das controvérsias.

Um dos princípios do Programa forte proposto por Bloor e Barnes é o da causalidade: todo estudo da ciência deve ser causal, "isto é, interessar-se pelas condições que dão nascimento às crenças e aos estados de conhecimento observados". Esse princípio não foi realmente respeitado na maior parte das análises propostas pela nova sociologia da ciência, pelo menos se nos referimos à definição clássica de causalidade, que enuncia que o fenômeno X pode ser considerado como a causa de Y se X aparece *sistematicamente* ligado à ocorrência empírica de Y. O desrespeito a esse princípio não se traduz, entretanto, do mesmo modo segundo os vários autores. Se os fortistas e os peri-fortistas desenvolveram análises sobre a base de uma concepção truncada e pouco exigente da causalidade, os construtivistas, de sua parte, deixaram de lado a análise causal, preferindo procedimentos "relacionistas".

Por exemplo, o trabalho de Farley e Geison sobre a controvérsia Pasteur-Pouchet inscreve-se na linha do Programa forte. Quando enunciam a tese segundo a qual o conservadorismo de Pasteur, seu gosto pela ordem e seu catolicismo seriam fatores que explicam sua posição homogenista, os autores não desenvolvem uma análise causal. O que eles apresentam como um liame de causalidade entre essas posições extracientíficas e a posição homogenista é antes uma relação de coocorrência empírica, mas eles são incapazes de mostrar que essa relação é sistematicamente, ou pelo menos regularmente, presente, pois o estudo trata de um só caso. Para concluir com a existência de uma relação de causalidade, seria necessário examinar com todo rigor as posições políticas e religiosas de todo o campo dos homogenistas. Ora, levando em conta essa relação, o campo está longe de ser unificado. Por conseguinte, a relação de coocorrência, determinada por Farley e Geison, não tem qualquer poder explicativo real.

Tal como afirma Raynaud, "essa consideração põe o problema do papel exato dos fatores sociais. Mais a população estudada é ampla, mais a correlação que parece *determinante* na escala de um indivíduo torna-se insignificante [...]. O amálgama entre as 'coincidências' e as 'características regulares' de um debate está ligado à insuficiência da análise contextual" (Raynaud, 2003, p. 80).

Os sociólogos radicalmente construtivistas, de sua parte, rejeitam, se não explicitamente, pelo menos na prática, a noção de causalidade. A explicação que autores como Knorr-Cetina, Pinch, Pickering ou Collins propõem da ciência reside completamente em uma descrição das práticas dos atores, certamente investigadas, mas que procede de um ponto de vista que se opõe diametralmente às teses das epistemologias racionalistas: recusa da distinção entre teoria e experiência, crítica da oposição entre "contexto de descoberta" e "contexto de justificação", substituição da noção de estabilidade da aceitação dos protocolos pela noção de adequação empírica. Os defensores da teoria do ator-rede, de sua parte, inscrevem sua descrição em uma espécie de "relacionismo", que se substitui ao causalismo. Para Karl Mannheim, o relacionismo consiste em sustentar que "todos os elementos de significação, em uma situação dada, ligam-se entre si e retiram seu sentido dessas inter-relações recíprocas em um quadro de pensamento dado" (Mannheim, 1956, p. 88). Essa definição descreve de modo bastante adaptado a concepção que os teóricos do ator-rede têm do que significa "explicar": pôr em evidência as relações que se estabelecem entre os elementos constitutivos de uma cadeia de tradução ou de uma rede sociotécnica é suficiente para que eles se expliquem entre

---

16 Poder-se-ia, seguindo Bourdieu, ver nesse relacionismo um "textismo", que remete a uma inclinação para analisar os atores científicos, suas práticas e os dis-

si.[16] Não há na rede nenhum fator explicativo que seja posto como proeminente *a priori*. Assim, quando a análise pretende explicar como se estabiliza uma cadeia de tradução e como se forma progressivamente um consenso sobre o valor do fato considerado, já que não se considera *a priori* nenhum elemento da cadeia como mais importante, existe ampla latitude para interpretar seus dados, insistindo aqui sobre o papel dos instrumentos, lá sobre o papel das posições de poder, ou ainda sobre o impacto na natureza. A atividade interpretativa não está inscrita em uma rede de restrições axiomáticas fortes. Basta que duas entidades sejam colocadas em relação pelos atores para que elas adquiram sentido e se expliquem reciprocamente.

No Programa forte, o princípio de reflexividade, como vimos, enuncia que os modelos explicativos da sociologia da ciência devem aplicar-se à própria sociologia. Reencontra-se aqui formulado de outro modo o tema desenvolvido por Pierre Bourdieu de fazer a sociologia de sua própria sociologia. De fato, a palavra de ordem, também nesse caso, foi pouco seguida pelos representantes da nova sociologia da ciência.

Não é manifestamente nesse sentido que o termo foi entendido. Em sua *Introduction à la sociologie des sciences* (*Introdução à sociologia da ciência*), Dubois distingue duas posições com relação à reflexividade: aquela de Collins, que se opõe a ela radicalmente – para ele, a atividade do sociólogo e a do cientista devem ser pensadas em quadros conceituais diferentes, caso contrário, os enunciados do sociólogo arriscam

---

positivos ambientais no seio dos quais eles são tomados em uma perspectiva semiótica (cf. Bourdieu, 2001). Essa tendência é notável especialmente em *Les microbes: guerre et paix* (*Os micróbios: guerra e paz*) (Latour, 1984). Desde a introdução, Latour reconhece, além disso, sua dívida à semiótica de Algirdas Greimas (1917-1992). Pasteur é então tratado como uma espécie de significante inserido numa rede complexa de entidades e de fenômenos que é suficiente que se deixem definir entre si.

ser vazios de todo conteúdo positivo – e aquela que representam Woolgar e Ashmore que pretendem, de sua parte, radicalizar o princípio, fazendo da reflexividade o instrumento e o objeto propriamente dito da sociologia da ciência – sucumbindo, assim, naquela forma de reflexividade estéril que conduziu à conclusão segundo a qual é impossível produzir uma representação distanciada do mundo (cf. Woolgar, 1988; Ashmore, 1989). Essa reflexividade, suficientemente radical para tomar-se a si mesma como objeto, conduz a dois problemas: a contradição que consiste em querer produzir uma representação da impossibilidade de representação e a necessidade de engajar-se em uma operação de desconstrução ao infinito (cf. Dubois, 1999, p. 61-2).

De fato, quando se qualifica aqui a nova sociologia da ciência como não reflexiva, pretende-se sublinhar a ausência total, em todos esses autores, de uma operação que vise não apenas explicitar seus métodos de análise, mas, mais essencialmente, exercer essa "vigilância metódica indispensável à aplicação metódica do método" (Bourdieu *et al.*, 1984, p. 117; cf. Bachelard, 1949). Existe, portanto, matéria para reflexão, pelo menos, em dois terrenos: a prática corrente na nova sociologia da ciência do estudo de caso e os limites do método etnográfico também correntemente mobilizado.

Vimos nos parágrafos precedentes que o estudo de caso podia ter como efeito embasar muito fortemente uma análise causal. Ao exemplo do trabalho de Farley e Geison já citado, poder-se-ia acrescentar aquele de MacKenzie consagrado à controvérsia Yule-Pearson (cf. Raynaud, 2003). O mecanismo é simples. Nesses dois estudos de controvérsias, os autores demarcam as características sociais que diferenciam, a cada vez, os pesquisadores que se opõem e remetem imediatamente as oposições científicas a essas diferenças sociais, fazendo destas as causas daquelas. Eles procedem, assim, a imputações causais sem fazer o mínimo apelo às fontes da "legalidade" científica.[17]

É igualmente surpreendente ver como não é colocada a questão da representatividade ou da pertinência dos casos escolhidos. Assim, quando Latour interroga um bioquímico sobre seu itinerário de pesquisa, entrevista que ele apresenta, dez anos depois, como "inacreditável", porque o bioquímico em questão é "muito mais selvagem e mais capitalista que qualquer industrial" (cf. Latour, 1983, 1995), ele não experimenta absolutamente a necessidade de interrogar a "particularidade" do caso. Em especial, ele não se põe a questão de saber que efeito pode ter o fato de escolher casos correspondentes a itinerários exitosos tais como os de Pierre, o bioquímico capitalista selvagem (Latour, 1983), Pasteur (Latour, 1984) ou, ainda, o professor Guillemin (Latour & Woolgar, 1979). A esse propósito, poder-se-ia razoavelmente perguntar se o fato de ter feito a escolha por casos eminentes de cientistas reconhecidos por seus pares não expõe o observador à ilusão retrospectiva que consiste em interpretar toda carreira como um encadeamento de seqüências práticas exclusivamente voltadas para a realização dessa conquista científica, e se o fato de reduzir uma trajetória de pesquisa a um processo regido unicamente por considerações de credibilidade e de capitalização não é finalmente a manifestação tangível da "ilusão biográfica" (cf. Bourdieu, 1986).

O método de estudo de caso não está aqui em causa. O que está é a escolha de concentrar a análise em um só caso de cada vez – um pesquisador (Latour, 1983, 1984), uma controvérsia (Farley & Geison, 1991; MacKenzie, 1991), um laboratório

17 Sobre a questão da análise causal, ver principalmente o pequeno e estimulante ensaio de epistemologia crítica de Charles-Henry Cuin (2000).

(Knorr-Cetina, 1981; Lynch, 1985; Latour & Woolgar, 1979) ou um texto (Latour & Fabbri, 1977). O recurso ao método comparativo é, entretanto, essencial, não somente quando se pretende ampliar a generalidade,[18] mas igualmente para tomar a medida da exemplaridade dos casos que se estuda.

Do mesmo modo, como deixar de surpreender-se com a ausência total de reflexão sobre a operação etnográfica, utilizada de modo recorrente pelos construtivistas radicais. A vontade com que se dedicam a produzir uma descrição "realista" do trabalho científico tem como efeito ocultar o caráter localizado dessa descrição. Ora, a operação pode sempre ser conduzida de diferentes maneiras, as descrições que fornecem Lynch, Knorr-Cetina e tantos outros não são forçosamente senão operações de leitura, conduzidas em função de *a priori* epistemológicos e sociológicos que o registro narrativo hiper-realista mobilizado contribui para dissimular. Os sociólogos construtivistas dominam totalmente a arte do romance realista e o que assinala Jean-Claude Passeron, precisamente a propósito dessa arte, pode aplicar-se aqui a seus trabalhos: "é suficiente para um texto narrativo de fatura 'realista' obter seu efeito sociográfico [...] para obter *ipso facto* o efeito sociológico completo, isto é, a interpretação pelo leitor de tudo o que o romance diz do mundo ao qual ele se refere como imagem *típica, representativa da figura do mundo real*" (Passeron, 1991, p. 211).

Mas isso não é tudo. Se se pode descrever a vida científica como Latour e Woolgar, Lynch ou Knorr-Cetina, pode-se também descrevê-la de um modo completamente diferente,

---

18 Para os representantes da nova sociologia da ciência, a questão do aumento na generalidade não é um problema real. O fato de escolher um só caso de estudo, sem qualquer questão sobre sua exemplaridade, não os impede de falar da atividade científica em geral e de desenvolver proposições que parecem valer para *a* ciência.

dando, por exemplo, mais crédito à idéia segundo a qual a ciência tem por objetivo estabelecer a verdade. Negar isso seria defender a ferro e fogo o *a priori* da verdade única (cf. Boudon, 1990). Parece que a maior parte dos etnógrafos do trabalho científico compartilha a idéia de que a descrição justa e pertinente é aquela que não esconde nada, aquela que nota, escrupulosamente, todos os detalhes de manipulações, os estados de alma dos protagonistas, suas hesitações. Entretanto, ao valorizar o "aqui e agora", ao focalizar-se em circunstâncias locais ou naquelas, em todo caso, que entram no campo de visão do etnógrafo, procedem a escolhas e a juízos de valor sobre o que é importante notar, sobre a contingência das decisões, a força das restrições locais, e sobre o que é menos importante, os objetivos distantes dos pesquisadores, as restrições institucionais que não são imediatamente apreensíveis e observáveis do ponto de vista do etnógrafo de laboratório.

2.3 Uma deriva antidiferenciacionista?

De fato, a nova sociologia da ciência deve uma parte de sua unidade relativa ao fato de que ela é antes de tudo uma coalizão antimertoniana – o que poderia justificar, em certo sentido, que se possa qualificá-la de antidiferenciacionista, pois ela se opõe a uma sociologia diferenciacionista – e que ela é igualmente uma força mobilizada contra a epistemologia racionalista.

À sociologia mertoniana, ela opõe a representação de uma ciência que não parece ser regida por lógicas de funcionamento específico: a agonística também está presente aqui como alhures e a vontade de obter o poder é uma explicação bem mais satisfatória que o ultrapassado amor à verdade dos filósofos da ciência. Além disso, as fronteiras da comunidade científica e as demarcações disciplinares assemelham-se mais a invenções de sociólogos que a realidades empíricas. A transgressão das linhas de demarcação traçadas pelos sociólogos diferenciacionistas entre disciplinas e entre o "sistema social da ciência" e os outros microcosmos sociais é uma constante no comportamento dos atores: a imagem da rede dá conta melhor da realidade das coisas. Quanto às categorias clássicas da filosofia da ciência, elas em nada permitem compreender a atividade científica, sem dúvida porque, dedicada a seu afazer de triagem entre o trigo e o joio, entre o verdadeiro e o falso, entre a ciência e a não-ciência, a filosofia negligenciou a observação dos cientistas no trabalho. Ela privou-se, assim, da oportunidade de ver que cotidianamente o que se troca nas conversações nada tem a ver com a busca de verdade ou a preocupação de fazer progredir o conhecimento, que o que viaja não são unicamente os enunciados estabilizados, que os modos de raciocínio em ato não possuem a impecabilidade da dedução. A filosofia da ciência idealizou a ciência para a qual elaborou conceitos particulares que não rendem conta da realidade da ciência em ação. Observando esta última, ela teria percebido que a validade de um enunciado não designa nada mais que sua estabilidade, que a validação de uma proposição reduz-se a sua aceitação, que provar é vencer uma guerra contra outros que também querem ganhá-la, que a corroboração ou refutação são empresas impossíveis, posto que a natureza não diz senão o que os instrumentos lhe fazem dizer. A ponto que podermos nos perguntar se é possível, nessa lógica, qualificar um dado experimental de aberrante: uma aberração não é senão uma supressão do empreendimento de domesticação que constitui a essência da ciência.

Considerações semelhantes conduzem-nos a colocar a questão de uma deriva antidiferenciacionista da nova sociologia da ciência, deriva que, hoje em dia, está na origem de uma profunda separação entre a sociologia e a filosofia da ciência, cujos instrumentos conceituais podem ajudar o sociólogo em suas próprias análises.

Mesmo se a nova sociologia da ciência permitiu, especialmente, chamar atenção para o papel que possuem os dispositivos instrumentais na atividade científica e insistir no caráter insustentável de posições ingenuamente realistas,[19] ela permanece atravessada pela tentação antidiferenciacionista à qual, sem dúvida, os teóricos do ator-rede cederam completamente. A análise crítica dessa abordagem permite tomar consciência mais claramente das contradições inibitórias da posição antidiferenciacionista.

Constatar-se-á, em primeiro lugar, que o antidiferenciacionismo, do qual a teoria do ator-rede representa a forma mais completa, necessita afirmar a existência prévia de um mundo social diferenciado em campos sociais dotados de uma autonomia relativa. Caso contrário, não se vê bem a que poderia servir o trabalho de tradução, de colocação em relação de mundos distintos (cf. Gingras, 1995). Se a teoria do ator-rede continua ainda sendo mobilizada para descrever o modo como se realiza a ligação de mundos distintos por meio dos procedimentos de tradução, isso significa que as lógicas de diferenciação são, aparentemente, as mais poderosas e/ou que os procedimentos de estabilização das cadeias de tradução não são tão eficazes assim. Certamente, os defensores dessa teoria afirmam freqüentemente o caráter reversível e

19 Ainda que, sobre esse ponto, a filosofia da ciência tenha realizado amplamente a crítica; ver especialmente Gaston Bachelard (1951).

temporário das cadeias de tradução, mas por que, então, nesse caso, evocar *ad nauseam* a onipresença de realidades híbridas, indissociáveis, ou dissertar sobre a "socionatureza" (cf. Latour, 1991)?

O antidiferenciacionismo afirma apoiar-se sobre um construtivismo totalmente simétrico que recusa admitir a realidade da natureza assim como a da sociedade, de alternar, como diz Latour, "o realismo natural e o realismo sociológico" (cf. Latour, 1991). Ele é, nos fatos, assimétrico. A fim de fazer ver essa contradição, basta debruçar-se sobre o que os sociólogos dizem a propósito da escritura científica (cf. Ragouet, 1994). Suponhamos que após a leitura de um artigo, um pesquisador cético decida fazer uma crítica. Ele enfrenta um documento complexo, estratificado, de estrutura multifacetada, repleto de referências, de remissões a outros textos que remetem eles próprios a outros documentos. Em suas análises, Callon e Latour fazem explicitamente a força dos textos científicos depender do fato de que os céticos eventuais são constrangidos, se querem proceder a uma crítica, a seguir a contrapelo o caminho balizado pelo autor. Mas de onde vem essa ardente obrigação? O que pode forçar o cético a aceitar todos os deslocamentos que lhe impõe o autor que ele lê? Quando se admite que a crítica científica exige reproduzir o encaminhamento daquilo que se critica, a fim de fragilizar as cadeias de tradução, deve-se então admitir também a existência de convenções estáveis, previamente formadas e compartilhadas pelos atores do campo científico e aplicadas quando dos procedimentos críticos. Quando se recusa, em nome do princípio de simetria generalizada, a existência dessas regras transversais do campo científico, torna-se impossível falar de eficácia retórica da escrita científica. Enfim, para convencer-se definitivamente do fato de que o realismo sociológico move-se muito freqüentemente ao abrigo do construtivismo radical, é suficiente reler as páginas escritas pelos seus defensores a propósito do caso das controvérsias: sem a hipótese segundo a qual o campo científico é agonístico e as vozes da natureza, construídas pelos homens que dominam a arte da ventriloquia, não é possível compreender por que as controvérsias se encerram.

3 A inovação contra a ciência? A versão tecnocrática do antidiferenciacionismo

O antidiferenciacionismo não viceja unicamente na sociologia da ciência, ele toca igualmente a história e a sociologia da tecnologia e da inovação (cf. Bijker, Hugues & Pinch, 1990; Bijker, 1994). Neste último domínio, a nova ortodoxia é perfeitamente encarnada por um grupo de eminentes especialistas de políticas científicas, autores de duas obras intituladas *The new production of knowledge* (Gibbons *et al.*, 1994)[20] e *Re-thinking science (Re-pensando a ciência)* (Nowotny *et al.*, 2001). Segundo eles, as modalidades de interação entre conhecimento científico, práticas técnicas, indústria, educação e sociedade teriam mudado radicalmente com relação àquelas que prevaleciam antes da Segunda Guerra Mundial. Os defensores dessa tese consideram que existem dois modos distintos de produção do conhecimento. O modo 1, que predomina antes de 1945, é caracterizado por uma separação profunda entre a sociedade e a universidade. Esta última opera em uma esfera autônoma, depende de disciplinas perfeitamente definidas e perenes; ela está dotada de certa auto-

20 A nova produção de conhecimento, proposta nesta obra, será abreviada aqui por NPC.

nomia na definição e na solução dos problemas de pesquisa. São os pares que, organizados em torno de associações profissionais como a Sociedade Francesa de Física e a Sociedade Francesa de Química, circunscrevem o campo do cientificamente aceitável e válido. Não existe, por outro lado, nenhuma interação entre a academia e a indústria. Esse modo de produção, batizado como "modo 1", teria sido dominante no período que vai do século XIX até 1945.

O modo 2, que teria emergido gradativamente após a Segunda Guerra Mundial, é bastante diferente. Desaparecem os muros rígidos que, anteriormente, separavam a ciência da tecnologia, assim como aqueles que separavam a ciência e a tecnologia, de um lado, e a sociedade e a indústria de outro. A ciência se difunde com freqüência na esfera da indústria e no corpo social, ela é progressivamente despida de sua identidade histórica e de suas particularidades institucionais e organizacionais. Segundo os promotores desta tese, as condições econômicas, intelectuais e sociais contemporâneas não podem conduzir mais que ao enfraquecimento ou mesmo à desaparição da universidade, à explosão das partições disciplinares e à atrofia do poder de controle de que dispunham os pares sobre a direção e a definição de programas de pesquisa científica. Os laboratórios que conhecemos hoje, os departamentos universitários e a própria universidade são candidatos ao desaparecimento e, com eles, os campos disciplinares como a física, a química, a astronomia, a matemática etc.

O modo 2 é, com efeito, caracterizado pela interdisciplinaridade e pela mobilidade; ele se distingue muito particularmente pela circulação de especialistas de domínios de pesquisa em domínios de pesquisa, em um contexto em que as equipes de pesquisa são efêmeras. Esse novo modo de produção do conhecimento é, por outro lado, marcado por certa submissão da ciência à demanda econômica e social. É esta que determina quais são as pesquisas a empreender, em quais perseverar, quais abandonar. No modo 2, a epistemologia é uma armadilha cultural e a época da teoria científica está morta. A avaliação das práticas científicas não se faria mais prioritariamente em função de princípios teóricos ou epistemológicos, mas em função de sua proximidade com relação a problemas reconhecidos como tais pelos atores econômicos e sociais e em função de sua capacidade em aportar soluções. O tempo em que a ciência falava à sociedade já passou; hoje em dia, é a sociedade que, no seio de uma "ágora", fala à ciência. Nesse sentido, o modo 2 vem justificar a visão antidiferenciacionista.

As análises propostas pelos autores da NPC são interessantes na medida em que são premonitórias de mudanças que afetam, por vezes profundamente, a orientação da política de pesquisa contemporânea e do ensino superior. Entretanto, a pertinência e a validade de suas proposições não são nada evidentes. Em grande parte, suas perspectivas estão muito estreitamente ligadas àquelas de atores da política científica e da indústria, mais, em todo caso, que àquelas da sociologia acadêmica. Tem-se, com efeito, diante dos olhos a versão tecnocrata do antidiferenciacionismo, uma contribuição que vem em apoio das políticas neo-liberais de globalização, que a inspiram. A mensagem é, por vezes, explícita: a ciência deve produzir um conhecimento colocado a serviço da indústria e do lucro. Tudo isso explica a tonalidade prescritiva, futurológica e normativa do texto da NPC.

Por outro lado, os artigos e obras inscritos nesse movimento raramente são rigorosos. Certos críticos da NPC observam que se pode, de fato, mostrar a presença de certas características do modo 2 desde o século XVIII e a maior parte delas no século XIX. Fazem também a observação de que o modo 2 a seguir é enfraquecido com a emergência de influentes instituições, financeiramente dotadas, tais como o *Centre National de la Recherche Scientifique* na França e o *Max Planck Institute* na Alemanha. O modo 2 teria, portanto, precedido historicamente o modo 1. Além disso, é pouco verossímil que o modo 1 tenha sido por todo tempo e em todos os lugares tão estático e isolado como querem descrever os autores do NPC. Não existem estudos empíricos que verifiquem o modelo antidiferenciacionista do modo 2. Encontra-se, antes, a infirmação. Estudos cientométricos recentes indicam que um volume crescente de pesquisas conduzidas nas universidades está destinado à indústria, mostrando, em acréscimo, que o volume total de pesquisas aumenta e que sua distribuição entre estudos aplicados e fundamentais permanece, aproximadamente, a mesma dos decênios recentes (cf. Godin, 1998; Godin & Gingras, 2000). É igualmente interessante notar que raramente são os historiadores, os sociólogos e os economistas que citam os trabalhos empreendidos na via da NPC, mas antes pesquisadores interessados pelas questões de política científica, de psicologia social e de pedagogia (cf. Shinn, 2002). O crescimento e a diversidade do público sensível aos argumentos dos autores da NPC ligam-se, de uma parte, aos argumentos que eles desenvolvem e que dizem respeito a numerosas esferas sociais, mas igualmente à eficácia da linguagem jornalística e metafórica empregada, à proliferação de anedotas e à simplicidade de fórmulas. O texto é, ao contrário, muito pouco documentado no plano das referências à teoria econômica, à teoria sociológica ou a dados empíricos representativos. Os autores de *The new production of knowledge* ou de *Re-thinking science* não são guiados por uma metodologia, usam uma terminologia conceitual fluida, que não tomaram o tempo de operacionalizar, e jamais colocam as condições limítrofes no seio das quais seus propósitos seriam válidos. Em suma, a tese da NPC está desprovida da maior parte das características de uma investigação sociológica prudente e rigorosa. A mensagem se parece mais a uma doutrina na qual se percebe o desejo de ver a ciência totalmente submetida às leis da demanda social e econômica. E nota-se, além do mais, a presença de aspectos característicos do pensamento antidiferenciacionista: jogo de palavras, fórmulas retóricas e preocupação bastante periférica com a história, tudo isso às expensas da razão e de uma real reflexividade crítica.

4 A guerra das ciências

O avanço do construtivismo, e muito particularmente do relativismo radical, provocou um conflito entre os defensores de um certo cientificismo positivista e os promotores da sociologia antidiferenciacionista da ciência, uma espécie de *guerra das ciências*. Esse conflito explodiu nos Estados Unidos na primavera de 1996, a propósito dos *cultural studies* (estudos culturais). Trata-se de estudos militantes empreendidos no seio das universidades americanas e destinados a defender os direitos das minorias e dos desprovidos de poder. Foi assim que se desenvolveram os *estudos sobre os negros*, *os estudos de gênero*, os *estudos sobre as mulheres* e outros domínios especializados.

Muitos dos promotores dos *estudos culturais* insistiam sobre o fato de que as minorias e os sistemas de pensamento não ocidentais eram vítimas da ciência moderna, ignorando suas especificidades e desacreditando os fundamentos epistemológicos de seus conhecimentos. A ciência moderna se punha assim, segundo eles, como referência epistemológica central. A esta tese que lhes parecia inaceitável, certos pesquisadores inscritos no movimento dos *estudos culturais* começaram a opor a idéia de que toda a cultura está subentendida por uma epistemologia particular, que produz suas verdades e que estas últimas não podem ser avaliadas senão no interior do quadro cultural que lhes constitui o contexto. Não existe uma hierarquia de verdades no cume da qual reinaria a verdade científica. É assim que, de modo cada vez mais maciço, o movimento pós-moderno americano dos *estudos culturais* acabou por defender uma posição vigorosamente anticientífica e radicalmente relativista.

Em 1996, uma revista nova-iorquina de estudos culturais, intitulada *Social Text*, publica um número especial sobre a guerra das ciências, no qual aparece um artigo com o enigmático título: "Transgredindo as fronteiras: em direção a uma hermenêutica transformativa da gravidade quântica" (Sokal, 1996a). Seu autor, Alan Sokal, professor de física na *New York University*, dedicou-se a redigi-lo, com uma profusão de inexatidões e erros manifestos, até mesmo grosseiros. Tendo por base unicamente a mobilização de um vocabulário técnico e a adoção de uma simpatia pelas teses relativistas e anticientíficas, o texto foi aceito para publicação após uma avaliação coletiva. Simultaneamente, Sokal publicou o anúncio da farsa em *Lingua Franca*, sob a forma de um texto inflamado, denunciando, ao mesmo tempo, a falta de rigor intelectual da corrente pós-moderna e o caráter bastante inconseqüente dos procedimentos de avaliação em curso na *Social Text* (Sokal, 1996b). Para ele, estava feita a demonstração de que os intelectuais inscritos nesse movimento de pensamento não mostravam nenhuma seriedade intelectual. Em 1997, aparece *Imposturas intelectuais*, que Sokal coassina com o físico belga Jean Bricmont. Nessa obra, os autores provocam os intelectuais franceses – freqüentemente citados como referência pelos autores pós-modernos – por seus usos fantasiosos de conceitos da ciência; eles pretendem igualmente criticar as teses relativistas (cf. Sokal & Bricmont, 1977). O debate se reinicia e as reações, por vezes violentas, multiplicam-se sob a forma de artigos ou de livros (Jeanneret, 1998; Jurdant, 1998; Kremer-Marietti, 2001).

Assim, na França, entre 1996 e 1998, uma vintena de artigos relativos àquilo que normalmente se designa como o caso Sokal são publicados no *Le Monde*, redigidos, entre outros, por Bruno Latour, Jean-Jacques Salomon, Régis Debray, Jacques Derrida, Jacques Bouveresse, Alan Sokal e Jean Bricmont. No mesmo período, o *Libération* publica sete artigos sobre o assunto e a revista mensal de divulgação *La Recherche*, uma dezena. Na imprensa especializada de língua inglesa, o caso faz igualmente gastar bastante tinta, principalmente no *Physics World*, *Physics Today* e mesmo em *Nature*, com as assinaturas de John L. Heilbron, Barry Barnes, John Ziman e também Andrew Pickering. Esses exemplos revelam a extensão do debate e dão uma idéia de sua intensidade. Com efeito, é raro, hoje em dia, encontrar na França algum físico que nunca tenha ouvido falar da guerra das ciências; por outro lado, a maior parte deles dialoga com a orientação relativista da nova sociologia da ciência. Para Sokal e seus aliados, a anticiência e o relativismo propalados pelos pós-modernos prejudicam a pesquisa, o progresso científico, contribuindo para a marginalização da atividade racional e crítica, assim como o questionamento de conceitos essenciais como os de "universalidade" e de "verdade". O caso Sokal alimentou também uma crítica virulenta das teses da nova sociologia da ciência, segundo as quais a natureza não é mais que uma construção social e a ciência, um corpo de conhecimentos socialmente determinados.

Entre os decênios de 1980 e 1990, a nova sociologia da ciência, em particular em suas versões radicalmente relativistas, suscitou uma reação anticonstrutivista, anti-relativista, que zomba da reflexividade e não opõe ao alvo de seus ataques senão sua imagem invertida. Nesse momento, as facções nem sempre conseguem se comunicar. Ainda que a nova sociologia da ciência tenha, incontestavelmente, aberto numerosas e novas vias, muitos são os que avaliam hoje que ela esgotou sua energia criativa, e mesmo que ela, no quadro da guerra das ciências, tornou-se um pouco repetitiva.

Capítulo 3

Por uma sociologia transversalista da ciência e da inovação técnica

A perspectiva "transversalista" leva em conta, no fundo, três realidades empíricas:

(1) a autonomia relativa do campo científico, o que significa que ele está dotado, ao mesmo tempo, de mecanismos de regulação que lhe são próprios e que ele estabelece com os outros microcosmos sociais – campos econômico, político etc. – relações de interdependência;

(2) a existência de fluxos migratórios transversais aos espaços disciplinares que concernem tanto aos praticantes quanto aos conceitos e instrumentos – sobre os quais os antidiferenciacionistas se debruçaram, mas para ver neles somente o testemunho de uma desaparição das fronteiras, notadamente disciplinares;

(3) a persistência de movimentos de convergência intelectual e de capitalização cognitiva que transcendem as demarcações disciplinares, bem como a estabilização de subcampos de pesquisa.

Este capítulo pretende apresentar uma série de trabalhos que se inscrevem nessa veia e têm a ambição de ultrapassar as abordagens estritamente diferenciacionistas sem, entretanto, chegar à metáfora do "tecido sem costura" (cf. Hughes, 1983) e cair no antidiferenciacionismo. Dois autores que refletiram, segundo perspectivas diferentes, sobre a noção de "campo científico" reterão nossa atenção: Pierre Bourdieu e Richard Whitley. Uma leitura diacrítica e crítica desses autores permitirá, com efeito, mostrar o que a visão transversalista deve a cada um deles. Num segundo momento, o foco será posto sobre o modo pelo qual a perspectiva transversalista oferece uma análise de dinâmicas operacionais internas às disciplinas e transversais a elas. Tratar-se-á de pôr em evidência de que modo ela pode mostrar como essas dinâmicas transcendem as disciplinas sem diminuir-lhes a consistência, em que medida elas trabalham para uma tendência de unificação da ciência, e como elas constituem mecanismos de controle e coordenação de trocas entre o campo científico e os outros campos sociais. A sociologia da ciência, quando se libera dos quadros diferenciacionista e antidiferenciacionista, pode sugerir análises mais afinadas das inter-relações entre a ciência e a sociedade, prestando atenção à plasticidade das fronteiras e a seus imbricamentos possíveis. Lembraremos mais precisamente o "modelo da Tripla hélice", proposto por Loet Leydesdorff e Henry Etzkowitz.

1 Os campos científicos e a ciência: as contribuições de Bourdieu e Whitley

Bourdieu e Whitley trouxeram ambos uma contribuição importante à sociologia da ciência e usam o mesmo conceito central de "campo científico" (Bourdieu, 1975, 2001; Whitley, 1984).

1.1 Campos e campo científico: a contribuição de Bourdieu

Em numerosas oportunidades, Bourdieu insistiu sobre a necessidade de pensar relacionalmente em sociologia e, para ele, um dos operadores eficazes do pensamento relacional é o conceito de "campo". Este conceito remete a um sistema de relações objetivas entre posições, o qual é independente das populações definidas por essas relações e irredutível às intenções dos indivíduos ou mesmo às relações de interação que eles mantêm. Na sociologia de Bourdieu, que se aparenta a uma espécie de topologia social, todo campo é igualmente um espaço de concorrência estruturado em torno de desafios e de interesses específicos, no seio do qual os atores, que Bourdieu prefere nomear de "agentes", distribuem-se em função do volume e da estrutura de capital social, cultural, econômico e simbólico detido. Entretanto, se todos os campos sociais apresentam por definição essas características, cada um dentre eles dispõe de sua própria lógica de funcionamento e segue uma evolução específica. Todos esses microcosmos diferem, por sua vez, quanto aos desafios em torno dos quais se estrutura a competição entre os agentes e quanto às espécies de capitais que nela estão envolvidos.

No seio dos campos científicos, os agentes estão em concorrência pelo monopólio da competência científica, pela imposição de uma definição legítima da ciência conforme a seus próprios interesses. A verdade é, por conseqüência, ela mesma, um campo de luta. Entretanto, a inserção dos agentes em um campo científico dado implica *de fato* que eles se conformam às normas e às regras do jogo imanentes ao campo: a verdade deve ser reconhecida como sendo um "valor" central e o respeito dos "cânones metodológicos que definem a racionalidade", reconhecido como necessário. A aceitação dessa espécie de axiomática ou de *nomos* é uma condição *sine qua non* da participação dos agentes nos jogos de concorrência internos ao campo científico em que eles estão implicados. A verdade oferece assim uma dupla face: ela é, ao mesmo tempo, aquilo a que todo cientista pretende aceder, colocando em operação os instrumentos da racionalidade, e aquilo em que se deve crer para participar da competição (cf. Bourdieu, 1975).

As lutas internas aos diferentes campos científicos são, por conseguinte, "lutas regradas" (cf. Bourdieu, 2001), que opõem agentes dotados de um capital "científico" de natureza simbólica. Ao tornar isso preciso, Bourdieu pretende insistir no fato de que esse capital existe *na* e *pela* percepção de agentes dotados de categorias de percepção adequadas, que se adquirem por uma espécie de socialização secundária: implicado em um campo científico, um agente interioriza as regras de seu funcionamento e aprende, progressivamente, não apenas a jogar o jogo da concorrência no respeito às regras do jogo, mas igualmente a apreender o sistema de desvios que separam os agentes implicados no campo. O capital científico é, assim, produto do reconhecimento, ele remete mais ou menos à noção de *visibility* (*visibilidade*) utilizada pelos sociólogos americanos.

No artigo de 1975 consagrado ao campo científico, Bourdieu se limita unicamente à evocação do capital científico como espécie única. Não é senão mais tarde que ele distinguirá duas formas de capitais. Uma, dita "científica", está ligada ao reconhecimento pelos pares; ela é pouco institucionalizada e encontra-se aberta à contestação. A outra, dita "temporal", remete a uma espécie de poder institucional sobre os meios de produção (os créditos financeiros, por exemplo) e de reprodução (uma posição em comissões como o Conselho Nacional de Universidades na França). Para Bourdieu, essas duas formas de capitais conhecem leis de acumulação diferentes: uma se adquire pela produção de contribuições reconhecidas para o progresso da ciência (publicações em periódicos prestigiosos) e a outra pela estratégia política e institucional. Além disso, se a primeira é dificilmente transmissível, a segunda o é mais facilmente. Enfim, as possibilidades de conversão de um capital em outro são assimétricas: o capital científico pode, com o tempo, permitir a obtenção de créditos econômicos e políticos, mas é mais freqüente ver agentes dotados de um capital temporal elevado obterem capital científico sem investir fortemente na produção científica.

A existência dessas duas formas de capital atesta o grau relativo da autonomia do campo científico: o capital temporal é a marca da empresa burocrática de poderes temporais sobre os campos científicos, a dos ministérios e das instituições de administração da pesquisa ou, ainda, aquela dos grupos financeiros e industriais, mas também da "ágora" formada pelas mídias. De imediato, a autonomia relativa de um campo será função do grau de diferenciação da hierarquia segundo a distribuição do capital científico e da hierarquia segundo a distribuição do capital temporal. Quanto mais essas hierarquias se confundem, mais a avaliação científica das contribuições é contaminada por critérios propriamente ligados ao conhecimento da posição social dos indivíduos.

Segundo Bourdieu, é importante ter em mente a existência dessas duas formas de capital para apreender as estratégias dos agentes que contribuem para dar, a todo campo científico, sua estrutura apropriada. É precisamente restituindo a estrutura objetiva do campo que é possível apreender, compreender, ou ainda "prever" as tomadas de posição de cada agente: o espaço de posições definidas pela dotação em capitais específicos (temporal e/ou científico) comanda o espaço homólogo de tomadas de posição, isto é, muito concretamente, o tipo de ciência feita. De fato, a sociologia da ciência defendida por Bourdieu é principalmente uma sociologia dos campos científicos, que tem como objetivos:

(1) apreender sua multipolarização, quer dizer, os eixos de oposições objetivas em torno dos quais se distribuem os agentes,

(2) apreciar sua autonomia relativa em relação aos poderes temporais, e

(3) construir o espaço de tomadas de posição dos agentes ligados ao espaço de posições por uma relação de homologia que, esclarece Bourdieu, nada tem a ver com a relação de reflexo mecânico, tão freqüentemente evocada pelos sociólogos marxistas do conhecimento.

O argumento da homologia é mais sutil. Se o espaço de posições age sobre a tomada de posição e se é possível marcar relações de correspondência entre os dois espaços, é porque ele se apresenta a agentes dotados de esquemas de percepção adequados – o que Bourdieu chama o *habitus* – como o espaço de maneiras possíveis de fazer ciência. Convém notar aqui que a análise de um campo científico não necessita, de modo algum, de toda uma digressão pela análise do trabalho científico concreto; quando Bourdieu fala de tomada de posição, ele evoca exclusivamente a ciência feita, tal como ela se mostra principalmente nas publicações.

Falta lembrar um último ponto concernente à contribuição de Bourdieu. A ciência está constituída, segundo ele, por campos científicos diferenciados; entretanto, isso não significa que esses campos sejam totalmente independentes entre si. Existem, segundo Bourdieu, princípios unificadores da ciência, externos até mesmo ao fato de que o conjunto de campos científicos compartilharia interesses comuns (pela racionalidade crítica contra o irracionalismo do *anything goes* (vale tudo), por exemplo). Contudo, Bourdieu é relativamente evasivo acerca desta questão. Ele se contenta em citar longamente trabalhos que tratam da pesquisa técnico-instrumental (cf. Shinn, 2000b, *apud* Bourdieu, 2001).

Pode-se, por fim, notar que a noção de "campo científico" parece, para Bourdieu, sinônima de "disciplina". A assimilação tem, para ele, um caráter de evidência; é assim que na nota 9 de seu primeiro artigo sobre o campo científico, ele escreve: "existe a cada momento uma hierarquia social de campos científicos – as disciplinas – que orienta fortemente as práticas e muito particularmente as 'escolhas' de 'vocação' [...]" (Bourdieu, 1975, p. 96). Entretanto, em uma de suas últimas obras, Bourdieu nuança sua posição sobre as ligações entre campo e disciplina e clarifica suas relações. O campo científico é, de agora em diante, descrito "como um conjunto de campos locais (disciplinas) que possuem em comum interesses [...] e princípios mínimos" (Bourdieu, 2001, p. 130).

A idéia, segundo a qual existem relações entre as propriedades organizacionais da ciência, sua diferenciação interna e a existência de mecanismos para fazer as pontes entre a ciência e a sociedade, preserva, ao mesmo tempo, a autonomia da ciência e sua relativa permeabilidade às constrições sociais.

1.2 A ciência plural: o aporte de Whitley

Em uma obra intitulada *The intellectual and social organization of the sciences* (*A organização intelectual e social das ciências*), R. D. Whitley analisa o modo pelo qual a ciência se distingue de outras formas de atividades, principalmente no plano organizacional, e desenvolve uma grade de descrição que permite caracterizar as especialidades de pesquisa, precisando as especificidades estruturais e intelectuais de algumas dentre elas.

As fontes de inspiração de Whitley são de duas ordens: de uma parte, a sociologia "figuracional" de Norbert Elias e, de outra parte, as realizações da sociologia das organizações, muito particularmente, as da teoria da contingência estrutural. De Elias, ele retém o conceito de interdependência e, mais amplamente, o projeto que este último atribuía à sociologia da ciência: compreender por que as ciências desenvolvem graus variáveis de autonomia relativa e delimitar as relações que elas mantêm com as instituições sociais (cf. Whitley, 1977). Além disso, e essa é ainda uma especificidade de seu trabalho, ele empresta muito da sociologia das organizações. De Henry Mintzberg (1979) e Charles Perrow (1967), ele retém a contribuição à análise da influência da tecnologia sobre as organizações. Empresta, além disso, a James D. Thompson (1957) sua taxonomia das formas organizacionais. Ele não é o único a mobilizar esse tipo de trabalhos. Outros sociólogos precederam-no nessa via (cf. Shinn, 1980).

Para Whitley, a ciência se distingue de outras profissões na medida em que ela constitui uma organização de controle reputacional do trabalho: na ciência, a coordenação do trabalho e sua organização fazem-se através do controle do acesso à reputação que permanece como o modo de retribuição central – reencontra-se aqui, de certo modo, a idéia de capital científico de Bourdieu. As retribuições financeiras não geram reputação. Ao contrário, o fato de ser dotado de certa notoriedade permite aceder aos créditos, aumentando assim sua influência no âmbito de círculos cada vez mais amplos. A reputação depende dos resultados da pesquisa, do interesse que os pares têm por ela e da pertinência que lhe atribuem, em função de seus próprios trabalhos.

Whitley caracteriza cada campo científico a partir do grau de interdependência que liga os pesquisadores que nele se inscrevem e daquilo que ele chama a incerteza da tarefa. As relações de interdependência operam nos planos funcional e estratégico. O grau de interdependência funcional pode ser definido como a medida na qual os pesquisadores utilizam os resultados, procedimentos e idéias de colegas a fim de poder construir enunciados que sejam considerados como pertinentes e úteis. Dito de outro modo, a interdependência funcional aumenta quando se aumenta, por exemplo, a especialização das tarefas. Quanto ao grau de interdependência estratégica, ele designa a medida na qual os pesquisadores são constrangidos a convencer seus colegas da pertinência e importância dos problemas de que tratam. A segunda dimensão remete à incerteza da tarefa científica que Whitley define em termos técnicos e estratégicos. O grau da incerteza técnica da tarefa remete explicitamente a certas características do trabalho científico: ambivalência dos resultados obtidos, leque de possibilidades metodológicas, plasticidade e estabilidade dos fenômenos analisados etc. O grau de incerteza estratégica da tarefa designa a existência de uma hierarquia mais ou menos oficial de prioridades em matéria de escolha de objetos.

	Grau fraco de interdependência funcional e grau de interdependência estratégica	
Incerteza da tarefa	**Fraco**	**Forte**
Elevada nos planos técnico e estratégico	a. adhocracia* fragmentada produzindo conhecimentos difusos sobre objetos do senso comum. Ex.: administração, sociologia britânica, estudos políticos.	b. oligarquia policêntrica produzindo conhecimento difuso e localmente coordenado Ex.: psicologia alemã antes de 1933, antropologia social britânica.
Elevada no plano técnico e fraca no plano estratégico	c. instável	d. burocracia compartimentada produzindo conhecimento analítico específico e conhecimento empírico ambíguo. Ex.: economia anglo-saxã.

* O modelo de organização "adhocrática" de Mintzberg remete a uma estrutura organizacional determinada por um ambiente instável. Tendo como eixo o trabalho de inovação, a produção é aqui por excelência imprevisível, sofisticada, concorrencial e seus mercados são cambiantes. As estruturas "adhocráticas" são freqüentemente o resultado de reagrupamentos de especialistas, trabalhando em um projeto *ad hoc*, por um tempo determinado. Há ajustamento mútuo entre produtores por comunicação direta, pois a coordenação pela uniformização – quer vise os procedimentos, os resultados ou as qualificações – é pouco possível, em vista do saber hermético e indeterminado detido pelos trabalhadores; ela é também, segundo Mintzberg, pouco desejável, em virtude dos objetivos de inovação desse tipo de empreendimento (cf. Mintzberg, 1979).

	Grau elevado de interdependência funcional e grau de interdependência estratégica	
Incerteza da tarefa	**Fraco**	**Forte**
Fraca no plano técnico e forte no plano estratégico	e. adhocracia profissional produzindo conhecimento empírico específico. Ex.: ciência biológica, inteligência artificial.	f. profissão policêntrica, produzindo conhecimento específico teoricamente coordenado. Ex.: fisiologia experimental.
Fraca nos planos técnico e estratégico	g. burocracia tecnologicamente integrada, produzindo conhecimento empírico específico. Ex.: química do século xx.	h. burocracia conceitualmente integrada, produzindo conhecimento específico teoricamente orientado. Ex.: física após 1945.

Fonte: Whitley, R. D. *The intellectual and social organization of the science*. Oxford: Clarendon Press, 1984.

Ao comparar essas duas dimensões, cada uma delas subdividida em duas subdimensões, Whitley obtém uma tipologia *a priori* de dezesseis tipos de estrutura. Ele reterá sete, que lhe parecem caracterizar disciplinas às quais ele faz corresponder tipos de produção específicos. Os nove restantes são descartados seja por sua marginalidade no plano histórico, seja por sua improbabilidade no plano organizacional.

Essa abordagem fornece instrumentos que permitem distinguir diferentes campos científicos, levando em conta o parâmetro histórico e as diferenças entre os sistemas nacionais de ciência. Se vários estudos empíricos não conseguiram corroborar completamente as proposições de Whitley, não é menos verdade que seu modelo, que tem a vantagem de ser simples, está dotado de um valor heurístico certo. Seria sem dúvida mais pertinente reter apenas três parâmetros:

incerteza material e procedimental da tarefa, robustez e precisão da teoria, dimensão estratégica da pesquisa. Além disso, pode-se recriminar o trabalho de Whitley por seu mutismo sobre a questão da aplicação de seu modelo a casos particulares.

1.3 Os ensinamentos de uma confrontação: em direção à abordagem transversalista

O confronto das duas construções apresentadas acima permite extrair ensinamentos suscetíveis de constituir a axiomática de um programa de pesquisa.

O primeiro desses ensinamentos é que o campo científico ganha ao ser concebido como distinto de outros campos sociais. Com efeito, ele permanece um espaço social no qual o controle do trabalho toma a forma de um controle reputacional. Em segundo lugar, a ciência toma a forma de uma pletora de estruturas, de processos organizacionais e intelectuais. Contudo, enquanto Whitley afirma a necessidade de tornar a tarefa científica uma dimensão estruturante dos campos, Bourdieu não põe a urgência de um desvio pela observação do trabalho científico, tomada em toda sua espessura. Quando Whitley especifica seus tipos estruturais (ver o quadro acima), ele coloca na frente noções tais como aquelas de preditibilidade, de estabilidade e de visibilidade dos resultados ou, ainda, as de limites do controle técnico, de possibilidade de coordenação e de comparação dos resultados. Encontramo-nos aqui bem no coração da tarefa científica, de sua materialidade e de sua instrumentalidade. Bourdieu, de sua parte, não retém senão a realização final da tarefa, que ele chama "tomada de posição". Contudo, os dois não admitem a divisão clássica de tarefas entre a epistemologia e a sociologia, precisamente defendida pelos diferenciacionistas. Se a recusa dessa oposição entre as abordagens internalista (característica da epistemologia) e externalista (característica da sociologia) é mais explicitada em Bourdieu do que em Whitley, ela é, de fato, subjacente ao modo pelo qual este último autor conceitualiza os campos científicos, afirmando a necessidade de levar em conta as características próprias do trabalho científico. A análise de um campo científico não pode, portanto, ser puramente externalista.

Em terceiro lugar, Bourdieu bem como Whitley ligam-se à idéia de disciplina, mas são perfeitamente conscientes da plasticidade dos campos disciplinares. Para Bourdieu, mesmo se as disciplinas são dotadas de alguma estabilidade em razão de seu caráter institucionalizado e de sua historicidade, suas fronteiras permanecem como motivos de lutas e essas lutas afetam "o" campo científico em seu conjunto. Ao escolher tipificar as estruturas sociointelectuais da atividade científica e aplicar essa grade de leitura às disciplinas, Whitley mostra bem que sua realidade não é fictícia e que as disciplinas sofrem profundas transformações, tanto do ponto de vista social quanto intelectual.

Enfim, tanto Bourdieu como Whitley estão, ao mesmo tempo, conscientes do caráter fragmentado da ciência e preocupados em explicar sua unidade minimal. Bourdieu, como vimos, afirma a existência de princípios unificadores sobre os planos instrumental e procedimental, mesmo que não desenvolva em lugar algum essa intuição. Whitley está, também ele, convencido da unidade de fundo da ciência, que se deve, de um lado, ao caráter reputacional do controle do trabalho e, de outro lado, ao fato de que a pesquisa científica é inseparável de uma "tensão essencial" – a referência a Kuhn é explícita em Whitley – entre novidade e tradição, cooperação e competição. Para serem reconhecidos, os pesquisadores devem demarcar-se numa perspectiva concorrencial, criando a novidade com todos os riscos que isso pode comportar, mas devem, ao mesmo tempo, cooperar com os concorrentes e aceitar as regras do jogo. Bourdieu assim como Whitley exprimem, dessa forma, a recusa de uma concepção "irênica" da ciência como universo puro de intelectuais desinteressados. Esses quatro pontos de vista constituem a coluna vertebral da abordagem transversalista, que tem como objetivo fundar uma visão realista e dinâmica dos campos disciplinares, tentando apreender, ao mesmo tempo,

(1) suas dinâmicas internas e

(2) a emergência de dinâmicas transversais, mas que visa igualmente

(3) restituir as relações de interpenetração entre o campo científico e os outros microcosmos sociais.

Existem atualmente pistas de trabalho concernente a cada um desses três eixos. Convém agora dedicar-se a sua apresentação.

2 As dinâmicas intradisciplinares: a problemática das "microculturas" de pesquisa

Em 1997, o historiador da ciência Peter Galison publica um volume de 900 páginas sobre a microfísica do pós-guerra, intitulado *Image and logic: material culture of microphysics* (*Imagem e lógica: cultura material da microfísica*) (Galison, 1997). Esse livro é importante por dois aspectos. Ele mostra, em primeiro lugar, que as disciplinas científicas conhecem uma forte diferenciação interna. Em segundo lugar, enquanto insiste sobre a heterogeneidade e a autonomia dessas entidades subdisciplinares, Galison constata os meios pelos quais os pesquisadores ultrapassam as fronteiras de sua comunidade de trabalho. Temos então sob os olhos um sistema que produz domínios científicos diferenciados de modo durável e estável, ao mesmo tempo em que produz também mecanismos de comunicação transversais. Trata-se, então, de um primeiro exemplo de abordagem transversalista.

Esse livro documenta de modo exaustivo a evolução da física de partículas de 1945 a 1995, descrevendo primeiro as pesquisas empreendidas por um conjunto de ganhadores do Prêmio Nobel, debruçando-se em seguida sobre certas controvérsias e analisando, por fim, as relações entre conhecimento, recursos materiais e dinâmicas sociais que se estabelecem no curso do trabalho científico. Galison chama mais particularmente atenção sobre dois pontos. De um lado, a pesquisa em física caracteriza-se pela coexistência de duas orientações práticas: a primeira passa pela produção de imagens destinadas a identificar e qualificar os objetos ou processos físicos; a segunda passa pelo raciocínio lógico aplicado a dados numéricos. A câmara de nuvens, onde é possível visualizar as trajetórias de partículas da radiação cósmica, é um exemplo de observação baseada em imagem. O contador de cintilações que produz um *flash* a cada evento físico – *flashes* que são precisamente contados – é um exemplo de observação baseada na lógica. Essas duas abordagens constituíram, durante decênios, abordagens separadas e freqüentemente concorrentes, mas Galison mostra que tecnologias recentes operam sua síntese. O detector multifio aperfeiçoado pelo Prêmio Nobel de física de 1992, Georges Charpak, é um belo exemplo desse tipo de tecnologia (cf. Charpak & Saudinos, 1994).

Em um plano mais essencial ainda, Galison mostra que a ciência física não é simplesmente formada por dois blocos sociointelectuais, um ligado à experimentação e o outro à teoria, mas de três; aos dois precedentes, é conveniente acrescentar aquele da instrumentação. Assim, a física de partículas gira em torno de três microculturas, relativamente autônomas no plano cognitivo e replicadas sobre si mesmas. A homogeneidade de cada uma dessas culturas liga-se ao aprendizado, a certa unidade de experiências e objetivos, mas também ao fato de que cada uma delas se desenvolve no interior de instituições específicas e que elas são também articuladas com um instrumental conceitual e matemático particular. Assim, durante uma parte da pesquisa experimental sobre a corrente neutra, conduzida na Universidade de Stanford no final dos anos 1960, no momento em que eles se perguntavam o que poderia constituir uma medida precisa e correta do fenômeno, os praticantes da cultura experimental não sabiam que os teóricos localizados a alguns quilômetros, em Berkeley, tinham produzido por eles mesmos uma teoria que acabaria corroborando suas próprias conclusões. Galison considera, de modo similar, que os portadores da cultura instrumental freqüentemente desenvolvem equipamentos de modo quase autônomo e, de modo algum, em resposta a uma demanda de experimentadores ou de teóricos. Ele acaba, assim, questionando a tese freqüentemente defendida pelos antidiferenciacionistas, segundo a qual o trabalho de experimentadores e de teóricos inscreve-se em um ciclo de auto-aprovação mútua, cujo objetivo é menos fornecer uma descrição minuciosa do mundo físico, que adquirir visibilidade e influência (cf. Galison, 1997; Pickering, 1984).

Em vista dessa diferenciação interna da disciplina física, como os praticantes dotados de culturas diferentes se comunicam entre si e para além das linhas de demarcação que os separam? Como fazem para convergir em direção ao estabelecimento de resultados que transcendem essas fronteiras?

Para Galison, a resposta liga-se à existência de uma linguagem comum mínima, inteligível pelos praticantes que desejam trocar informações para além de sua própria comunidade. Galison assimila esse meio de comunicação a um dialeto cujo vocabulário e sintaxe rudimentares são, entretanto, compreensíveis. Esse dialeto é mobilizado no que Galison chama de zonas de troca (*trading zones*), situadas fora das esferas culturais da experimentação, da teoria e da instrumentação. A comunicação que se estabelece no âmbito das zonas de troca permite a troca de resultados experimentais ou de conceitos, a realização do consenso ou, ao contrário, a expressão de um desacordo em uma linguagem comum a todos. São essas zonas de troca que permitem que os pesquisadores informem-se sobre os trabalhos efetuados nos outros setores, por meio de um quadro conceitual adaptado a suas próprias atividades.

Entretanto, Galison não responde verdadeiramente à questão de saber o que acontece com os dialetos desenvolvidos nas zonas de troca. Parece que eles são efêmeros e que não existem, em certos casos, mais que o tempo de levantar um problema, para desaparecer em seguida. Em certas ocasiões, quando o problema a tratar é suficientemente amplo e fecundo, acontece que uma parte do dialeto produzido é importada pelos praticantes de uma microcultura e torna-se parte integrante dela. Em outros casos mais raros, o dialeto torna-se a linguagem de uma nova microcultura e é objeto de um processo de institucionalização. Repentinamente, o processo de diferenciação se intensifica e a nova microcultura em emergência pode então dedicar-se temporariamente ao desenvolvimento de um novo dialeto, no interior de uma zona de troca (cf. Shinn & Joerges, 2003). O trabalho de Galison é, ainda assim, portador de elementos sólidos que permitem compreender como, a despeito de uma heterogeneidade de culturas práticas, as fronteiras disciplinares são dotadas de estabilidade.

Outros pensadores debruçaram-se mais particularmente não sobre os processos de mudanças internas às disciplinas, mas sobre as dinâmicas disciplinares que penetram o campo científico em seu conjunto (cf. Shinn, 2000a).

3 Os regimes de produção e de difusão da ciência: por uma visão realista e histórica das dinâmicas disciplinares

A ciência e a tecnologia assumiram, depois do século XVII, quatro formas intelectuais e institucionais: os regimes científicos e técnicos "disciplinar", "utilitário", "transitório" e "transversal".[1]

3.1 O regime disciplinar

A história e a sociologia da ciência e da tecnologia foram amplamente escritas no contexto do regime disciplinar. Inumeráveis monografias exploram as fases de nascimento, de desenvolvimento e, por vezes, de declínio de disciplinas, tais como a astronomia, a química, a ecologia, a geologia, as ciências físicas ou, ainda, a microbiologia e a biologia molecular (cf. Abir-Am, 1993; Edge & Mulkay, 1976; Gingras, 1991; Lemaine *et al.*, 1976; Mullins, 1972; Nye, 1993; Rheinberger, 1997). O volume impressionante desse tipo de estudos é tal

1 Os desenvolvimentos que se seguem estão estreitamente ligados aos trabalhos empreendidos sobre os modos de produção e de difusão da ciência (cf. Shinn, 1993, 2000a, 2001a, 2001b; Joerges & Shinn, 2001; Shinn & Joerges, 2003).

que um observador da ciência desatento poderia concluir, de modo errôneo, que a história da ciência moderna é essencialmente aquela das disciplinas científicas, enquanto, na realidade, os quatro regimes operam e coexistem já há mais de um século.

Há sólidas razões que explicam essa insistência no regime disciplinar. As disciplinas são estruturadas em torno de instituições relativamente fáceis de identificar e dotadas de estabilidade. As disciplinas, assim como a maior parte das outras instituições, produzem e deixam importantes traços escritos que facilitam sua análise. As disciplinas científicas estão enraizadas em laboratórios, departamentos universitários, revistas, instâncias nacionais e internacionais, congressos e conferências, procedimentos de certificação das competências, sistemas de retribuição, redes formais e oficiais.

Também o mercado de difusão disciplinar revela-se fácil de ser notado. Em grande medida, esse regime consome suas próprias produções, essencialmente na forma de artigos submetidos à aprovação dos pares. As bases de dados do *Institute of Scientific Information* (ISI), e mais particularmente o *Science Citation Index* (SCI), permitem medir quantitativamente a produtividade de indivíduos, de laboratórios, de departamentos universitários e das próprias disciplinas. Os indicadores desse tipo tornam fácil a detecção e a análise de modelos de carreira precisos e de categorias diferenciadas de produção científica. O regime disciplinar constituiu-se a partir da metade do século XVIII e atingiu sua maturidade durante a primeira metade do século XIX.

3.2 O regime utilitário

Os eixos de pesquisa e os mercados de difusão do regime utilitário tomaram forma somente a partir do meio do século XIX.

Enquanto o regime disciplinar caracteriza-se pela existência de sociedades científicas (*Académie des Sciences*, *Société Française de Physique*, *British Royal Society* etc.), o regime utilitário caracteriza-se pela constituição de associações profissionais que, em certos países e para certas especialidades, controlam as entradas no seio das comunidades por meio da certificação. Esse tipo de associação funciona como uma estrutura que estimula e regula as trocas e os encontros. Na Alemanha, por exemplo, o regime utilitário era percebido como de tal modo fraco em comparação ao regime disciplinar que, nos anos 1920, foi realizado um esforço nacional de envergadura, a fim de reforçá-lo e elevar-lhe o *status* (cf. Hoffmann, 1987).

Esse regime é feito por uma população heterogênea, que inclui técnicos, engenheiros, especialistas, consultores e cientistas especializados na aplicação do conhecimento a um problema técnico particular (cf. Auger, 2004). Os modos de aprendizado em curso no regime utilitário são diferentes daqueles que caracterizam o regime disciplinar. A formação de pesquisadores do regime utilitário pode ter lugar nas universidades, mas ela se inscreve, nesse caso, antes nos departamentos de engenharia. Com muita freqüência, é em escolas de engenheiros que o aprendizado tem lugar (como nas grandes escolas técnicas na França), escolas que são institucionalmente separadas da universidade. Ao longo da formação, faz-se menos apelo a teorias avançadas ou a matemáticas complexas que a estudos de caso, articulados à prática de uma epistemologia da aproximação, apoiando-se sobre precedentes históricos e a apreciação do risco.

Os praticantes do regime utilitário estão implicados em um amplo leque de atividades: o desenvolvimento e a manutenção de invenções destinadas à produção industrial, ao controle de qualidade, à calibragem de instrumentos de medida, à aplicação de padrões e de normas metrológicas, de formas diferentes de trabalho de engenharia, o desenvolvimento de novos produtos e a colocação em operação de pesquisas técnicas finalizadas. O objetivo dos pesquisadores do regime utilitário é certamente publicar, mas também produzir patentes. De imediato, suas descobertas caem tanto no domínio privado, como no domínio público. Os pesquisadores podem, com efeito, ser empregados diretamente na indústria ou em empresas de consultoria de engenharia. Contrariamente a uma idéia tenaz, muitos são igualmente funcionários que trabalham em divisões técnicas nos hospitais, em escritórios que promovem o desenvolvimento de invenções ou, ainda, em organismos públicos de controle de qualidade ligados aos domínios da aviação, do transporte, da alimentação ou da indústria farmacêutica (cf. Auger, 2004).

3.3 O regime transitório

Apesar de seu sucesso, os estudos que tratam do regime disciplinar e do regime utilitário silenciam sobre outros regimes de pesquisa, que são também importantes. Hoje, uma parte imensa da ciência desenvolve-se fora das matrizes disciplinar e utilitária, uma ciência que se desenvolve na periferia das instituições estabelecidas.

Muitas carreiras, conhecimentos ou construções ocorrem em um regime de produção cognitiva e técnica que não é sistematicamente compatível com o regime disciplinar ou o regime utilitário. Essa forma de ciência não está liberada dos efeitos da diferenciação dos eixos de pesquisa e do mercado de difusão institucional, mas estas últimas são geradas segundo modalidades complexas freqüentemente negligenciadas ou mal compreendidas.

As oportunidades intelectuais, técnicas e profissionais aparecem por vezes na periferia de campos disciplinares clássicos e utilitários. Nesse caso, pôr em operação uma pesquisa ou fazer uma carreira exige dos praticantes que eles atravessem provisoriamente as fronteiras de suas disciplinas de pertencimento, para ir buscar técnicas, dados, conceitos e cooperação de colegas situados no seio de disciplinas vizinhas ou em outras regiões da pesquisa. A maior parte do tempo, a pesquisa de fontes cognitivas, materiais ou humanas suplementares envolve duas ou, no máximo, três disciplinas. O movimento dos praticantes inscreve-se em um modelo oscilatório de ir e vir. A trajetória fica circunscrita na duração e na amplitude do movimento. Cabe notar que, no regime transitório, o centro principal da identidade e da ação dos praticantes encontra-se, também aqui, nas disciplinas, embora os indivíduos atravessem os campos disciplinares.

O regime transitório subsume dois tipos de trajetórias diferentes, mas ligadas. A vida e o trabalho de Lord Kelvin (1824-1907) são emblemáticas do primeiro tipo. Norton Wise e Crosbie Smith aportaram informações sobre o modo pelo qual Kelvin passou das ciências físicas (regime disciplinar) à engenharia (regime utilitário) e das engenharias às ciências físicas (cf. Smith & Wise, 1989). Quando se abriam perspectivas, o homem de ciência mudava de território. Entretanto, o itinerário de Kelvin era circunscrito. Além disso, seja do ponto de vista do historiador ou do profissional de ciência, a identidade de Kelvin, assim como sua vocação, ficaram ligadas à disciplina, isto é, solidárias da física clássica. De outro lado, o regime transitório pode conduzir à aparição de uma nova subdisciplina, tal como no caso da químico-física, da bioquímica, da biofísica, da astrofísica e da geofísica. A lista desse tipo de nascimento é longa e as subdisciplinas ficam profundamente enraizadas nas práticas científicas transitórias. Nos casos lembrados acima e em outros casos análogos, as trajetórias oscilantes de praticantes resultam na fundação de um novo eixo de pesquisa e de novos mercados de difusão, a partir de uma conjunção de dois ou vários campos estabelecidos. As novas subdisciplinas são produtos do regime transitório. Além disso, é com efeito possível pensar o fenômeno dos pesquisadores empresários – que não é inédito, mas conhece uma renovação de interesse atualmente, sob a influência conjugada de políticas de incentivo e de demandas que se originam na indústria – como uma encarnação particular do regime transitório, pois se trata, também aqui, de casos de mobilidade oscilante entre as organizações de vinculação assentada no campo acadêmico e as empresas (cf. Lamy, 2005; Lamy & Shinn, 2006).

A fim de compreender esse regime de pesquisa e sua realização intelectual e técnica, é necessário concentrar-se sobre os procedimentos de abertura ao diálogo e sobre o movimento. Aqui também, nesse regime, os movimentos e os procedimentos de abertura ao diálogo são estritamente definidos e regulados pelos referentes disciplinares. As demarcações institucionais e as formas de divisão do trabalho científico permanecem de grande importância, mesmo se são transcendidas de maneira específica. Deve-se, portanto, ficar atento à mobilidade das carreiras e à fluidez do conhecimento; entretanto, o todo funciona em um conjunto limitado e restrito de coordenadas institucionais.

3.4 O regime transversal

O regime transversal pode ser caracterizado por vários traços:

(1) Os praticantes se concentram sobre as leis da instrumentação, mais do que sobre aquelas que regem o mundo natural, e desenvolvem uma instrumentação genérica, cujos princípios técnicos – objetivados no instrumento-tronco – podem ser mobilizados por ocasião da elaboração de instrumentos destinados à universidade, à indústria, aos grandes organismos de mensuração ou, ainda, ao setor militar.

(2) Os pesquisadores engajados no regime transversal operam em arenas "intersticiais". Isso significa que sua identidade não está ligada a uma disciplina ou a um empregador particular. Eles mudam constantemente de instituições e são dotados de um capital de relações com cientistas, administradores ou engenheiros, que trabalham em especialidades e organizações muito diferentes.

(3) Além disso, os praticantes do regime transversal não se detêm nas fronteiras institucionais e cognitivas. Sua permanência no interior de grupos especializados dura o tempo requerido pela importação de idéias e de dados necessários à elaboração de novos utensílios; dura também o tempo que for preciso para indicar, aos pesquisadores desejosos de utilizar as tecnologias genéricas, como se apropriar dos princípios fundamentais dessas tecnologias a fim de adaptá-las tão adequadamente quanto possível a suas próprias necessidades.

Pode-se citar, como exemplo de tecnologias genéricas, os sistemas de controle automático, a ultracentrífuga, a espectroscopia por transformadas de Fourier, o laser ou ainda o microprocessador (cf. Joerges & Shinn, 2001). O detector multifio, desenvolvido por G. Charpak, é igualmente um belo exemplo de instrumento genérico. Todos esses são instrumentos genéricos, no sentido de que constituem os conceitos-tronco a partir dos quais instrumentos diferentes, correspondentes a necessidades diferentes, vão ser elaborados. Esses instrumentos podem ser apresentados como instanciações particulares de um mesmo conceito-tronco, objetivado no instrumento genérico.

Jesse Beams, pesquisador técnico-instrumental

Os produtos de pesquisa de Jesse Beams (1898-1977) e sua carreira podem ser considerados como emblemáticos da pesquisa no regime transversal. Nos anos 1930, 1940 e 1950, ele desenvolveu a ultracentrífuga moderna. O instrumento e o homem não entram facilmente em qualquer molde institucional, profissional ou intelectual. Por muito tempo diretor do departamento de ciências físicas da Universidade de Virgínia, Beams participou igualmente da criação de duas firmas, serviu de consultor em quatro outras companhias, participou do Projeto Manhattan, trabalhou para os militares durante os anos 1940 e 1950 e contribuiu para numerosos programas científicos da *National Science Foundation*. Beams não era nem universitário, nem engenheiro, nem empresário, nem um consultor clássico. Sua ligação mais forte com a Universidade de Virgínia era a oficina, importante e muito bem equipada, que ele tinha ali instalado.

As carreiras da ultracentrífuga e de seu criador são paralelas. O instrumento era uma emanação da tese de doutorado que ele defendeu em 1924 e que estava centrada nos mecanismos de rotação rápida. Obrigado, sob as injunções de seu orientador, a desenvolver pesquisas sobre a velocidade de eventos de absorção quântica, Beams desenvolveu uma técnica de rotação ultra-rápida destinada à cronometragem precisa adaptada ao caso de intervalos muito pequenos. É a centrífuga e não o estudo de um fenômeno físico que constitui a peça central de sua tese. E mais amplamente, é o interesse de Beams pelos aparelhos técnicos polivalentes, suscetíveis de encontrar demanda em múltiplos mercados, e não o interesse pelos fenômenos do mundo físico, que está subentendido no conjunto de suas pesquisas. Entretanto, esse interesse não fez de Beams um engenheiro ou um especialista da técnica, no sentido habitual do termo.

Os primeiros instrumentos desenvolvidos por Beams utilizavam turbinas acionadas por ar comprimido. Contudo, seus desempenhos eram reduzidos por fatores mecânicos como o atrito do ar. Inicialmente, ele aumentou a velocidade, graças à introdução de uma árvore de transmissão flexível que permite os ajustes do centro de gravidade e multiplica, por isso, a capacidade de rotação. Depois, colocou o corpo rotatório no vazio, eliminando assim o atrito do ar. Mas os mecanismos da árvore continuavam a limitar o desempenho do instrumento. A fim de resolver esse problema, Beams empregou eletroímãs para fazer girar a cápsula. Esta era colocada em suspensão no vazio por meio de um servomecanismo ligado aos eletroímãs. O conjunto constituiu uma versão completa da ultracentrífuga, capaz de rotações a velocidades inimagináveis.

O instrumento tornou-se um utensílio importante da pesquisa biomédica sobre as bactérias e os vírus, e tornou-se rapidamente indispensável nos diagnósticos e tratamentos médicos. Beams imaginou, no final dos anos 1930, instrumentos que permitiam a separação de isótopos radioativos; eles foram efetivamente testados no Projeto Manhattan e tornaram-se comercialmente viáveis nos anos 1950 e 1960. A ultracentrífuga de Beams serviu na pesquisa sobre a propulsão por estatoreator e foi igualmente utilizada para pesquisas em física e engenharia sobre a solidez das camadas finas. Uma versão da ultracentrífuga de Beams, cuja velocidade de rotação era superior a três milhões de rotações por segundo, foi utilizada pelos físicos para medir a pressão da luz. Um instrumento um pouco diferente permitiu aumentar a precisão na medida da constante gravitacional.

Beams publicou abundantemente, por vezes em periódicos disciplinares, mas mais ainda em periódicos sobre instrumentação, tais como a *Review of Scientific Instruments*. Uma enorme quantidade de seus escritos tomou a forma de relatórios científicos não publicados. Foi co-autor de meia dúzia de patentes. Suas produções escritas dividiram-se, em igual proporção, entre as esferas pública e privada, entre artigos e patentes de um lado (esfera pública), e relatórios confidenciais e consultorias, de outro lado (esfera privada). Paralelamente a essas publicações, continuou a construir instrumentos de alcance considerável.

Beams atravessou inumeráveis fronteiras, circulando dentro e fora das instituições e indo de um empregador a outro. Pertenceu a várias organizações, movimentos e grupos de interesse. Ele não era nem a-institucional, nem anti-institucional, mas multi-institucional. Não tinha um abrigo único, mas sentia-se em casa em todos os lugares. Ele explorou e explorava as leis da natureza objetivadas em instrumentos. Como o próprio Beams, as ultracentrífugas atravessaram múltiplas fronteiras. Elas eram instrumentos flexíveis de uso geral, que chegavam a preencher uma multiplicidade de funções, e deram lugar a artigos em vários periódicos não-universitários. Um vocabulário específico e uma maneira de perceber os fenômenos desenvolveram-se em conjunção com o instrumento de Beams. Foi o início da referência a micróbios e a vírus, à pressão da luz e à gravitação, à separação de isótopos e a camadas finas em termos da velocidade de rotação e da pressão centrífuga. A rotação emergiu enquanto *lingua franca* no seio de um leque de campos e de funções, que vão da universidade e da pesquisa à produção industrial e à terapia médica. O vocabulário e o imaginário "rotacional", ligados ao instrumento de Beams, propagaram-se em todas as direções. A abordagem de Beams e seus instrumentos contribuíram, assim, para pôr em relação os mundos técnicos, profissionais e institucionais dispersos.

Ainda que, sob vários aspectos, o regime transitório seja parecido ao regime transversal, este último representa um modo distinto de produção científica. No regime transversal, o grau de liberdade e o campo de ação dos praticantes são maiores que no regime transitório. Sua criação remonta a, pelo menos, um século e meio, de início na Alemanha (cf. Shinn, 2001a), depois, muito rapidamente, na Grã-Bretanha, na França (cf. Shinn, 1993) e nos Estados Unidos (cf. Shinn, 2001b). Em cada um desses países, funcionou em paralelo com os regimes disciplinar, utilitário e transitório. Os quatro regimes poderiam, de fato, ser considerados como interdependentes e em relação de enriquecimento recíproco.

Se o regime transversal existe desde muito tempo e se freqüentemente se revelou importante para o desenvolvimento do conhecimento científico e da tecnologia, por que então está manifestamente ausente da paleta historiográfica? Por que os historiadores e os sociólogos negligenciaram tanto sua existência? Uma parte da resposta a esta questão liga-se ao fato de que aqueles que contribuem para o regime transversal são alvos móveis. A relação entre esses praticantes e os empregadores, as disciplinas e as profissões é fugaz. Os traços escritos necessários à documentação de sua trajetória são minguados e fragmentados, o que torna a investigação sociológica e histórica um pouco problemática. Essa dificuldade é exacerbada pela multiplicação e extrema diversidade de meios de que dispõem os praticantes para divulgar sua produção: publicações científicas convencionais, patentes, relatórios confidenciais, exposições, comercialização ou até mesmo definição de padrões metrológicos. Para os sociólogos, cujas investigações estão ancoradas na detecção e análise de instituições estáveis e de divisões claras do trabalho intelectual e material, as transações de praticantes do regime transversal revelam-se difíceis de detectar e analisar. Da mesma maneira, para os analistas que consideram a ciência e a tecnologia como uma "tecnociência" e que ignoram as gradações na diferenciação e nas formas de divisão do trabalho científico, essas especificidades sutis e as estruturas regulares da pesquisa técnico-instrumental dos praticantes do regime transversal permanecem também amplamente não determinadas.

A substância e as operações científicas do regime transversal são particularmente interessantes para a sociologia da ciência na medida em que revelam certas lacunas e contradições nas operações e representações de praticantes inseridos nos regimes disciplinar, utilitário e transitório, e na medida em que permitem explicar as relações entre esses regimes.

Os quatro regimes de pesquisa descritos acima possuem em comum elementos-chave. Cada um dentre eles está fundado em uma forma de divisão do trabalho intelectual, técnico e social. Ainda que os diferentes regimes de pesquisa repousem sobre uma gestão diferente da divisão do trabalho, esta permanece uma força geral fundamental. Ela permite focalizar os interesses de pesquisa e encontra-se na base da especialização. Além da divisão do trabalho científico, as demarcações entre os regimes de pesquisa científica e os outros setores de atividade são muito importantes. Essas demarcações permitiram aos pesquisadores definir seus objetivos e afinar suas competências. Certamente, essas diferenciações funcionam também como um sistema corporativo de defesa, que permite igualmente sobreviver aos ataques e aos períodos difíceis. E como um mecanismo que permite o acesso aos privilégios e à ascensão social.

4 Transversalismo e universalidade

A sociologia transversalista está preparada para propor pistas no que concerne à compreensão de fenômenos de universalidade nas ciências, o que a sociologia antidiferenciacionista negligencia. O modelo de regimes de produção e de difusão da ciência expõe processos de convergência intelectual que unificam os regimes disciplinar, utilitário e transitório e que testemunham a existência de uma forma de universalidade e de uma unidade relativa da ciência. É o regime transversal que torna possíveis esses processos de convergência. Como?

Os instrumentos genéricos são portadores de uma teoria fundamental descontextualizada do instrumento – no sentido em que veiculam princípios gerais quase independentes de um objetivo ou de um uso particular. Assim, a ultracentrífuga de Beams é mais a encarnação do interesse que ele dedica aos princípios gerais e às técnicas de rotação a grande velocidade, que uma solução para um problema técnico particular. A descontextualização é possível na medida em que os trabalhos de pesquisa são desenvolvidos em uma arena intersticial que é institucional, organizacional e profissionalmente exterior aos outros regimes de produção e de difusão da ciência. Além disso, o caráter descontextualizado dos instrumentos genéricos está amplamente ligado ao fato de que eles são freqüentemente interpretados como metrologias fundamentais, isto é, como unidades ou técnicas métricas de base. Em uma segunda fase, após a realização do instrumento genérico, os princípios descontextualizados que lhe subjazem são recontextualizados, quando mobilizados em sítios técnicos e organizacionais diversificados, aos quais correspondem aplicações técnicas particulares. Alguns dos princípios objetivados na ultracentrífuga de Beams foram, assim, difundidos em mais de uma dúzia de domínios diferentes. Esse processo de recontextualização sobrevem quando os pesquisadores técnico-instrumentais deixam a arena intersticial, na qual operam, para atravessar os outros regimes, a fim de demonstrar a qualidade genérica de seus produtos e sugerir possíveis utilizações.

É no curso desse processo de descontextualização e recontextualização no seio de sítios diferentes que emerge uma forma de universalidade que se pode qualificar de "prática". Através da mobilização e da aplicação da componente genérica de um instrumento dado em um grande número de grupos diversificados, cujas necessidades jamais são idênticas, modos técnicos de ação, de maneiras de falar, ver, representar e pensar começam a ser partilhados. O elemento genérico pode então tomar a forma de metodologias, de rotinas, de imagens, de normas, de terminologias e, sem dúvida, também de paradigmas técnico-científicos. Uma espécie de *lingua franca* trans-comunitária que emerge permite que os grupos falem uma linguagem comum. A seguir, a credibilidade ou a confiabilidade do elemento genérico do instrumento, dos fatos, técnicas e métodos que lhe são associados, o caráter universal de sua validade aparecem quando vários praticantes, inscritos em diferentes domínios, obtêm resultados estáveis e duráveis. O caráter universal do saber-instrumento liga-se à pertinência que lhe é atribuída de modo independente no âmbito de vários campos.

A "universalidade prática" permite aos cientistas, aos engenheiros e aos públicos leigos comunicarem-se para além das fronteiras culturais, profissionais e nacionais que os separam. A inteligibilidade técnica e cognitiva depende, em grande medida, desse tipo de universalidade. Além disso, a universalidade prática vem contrabalançar a tendência à especialização intelectual e profissional e os movimentos de fragmentação social que prejudicam a comunicação. Convém, entretanto, precisar duas coisas. Quando fala de universalidade prática, o sociólogo não se apodera da questão da universalidade em termos epistemológicos, mas a problematiza sociologicamente. A universalidade é uma produção social. Os processos de recontextualização que são subjacentes à universalidade prática são inseparáveis de processos de mobilidade que são conhecidos pelos pesquisadores técnico-instrumentais. Além disso, a universalidade está ancorada nas práticas concretas que se inscrevem em contextos sociais específicos. A sociabilidade das práticas científicas e o fato de que a universalidade está ligada à interação não implicam, para o sociólogo transversalista, a recusa de demarcações epistemológicas. Ao contrário, levar em conta essas realidades contribui para compreender o que constitui a universalidade da ciência. Contudo, é necessário convir que o conceito de universalidade prática não regula de modo algum o problema do relativismo.

Por outro lado, essas considerações sobre a universalidade prática não excluem outras abordagens do problema. Em seus trabalhos sobre a microfísica, P. Galison mostra, finalmente, que certa forma de universalidade é engendrada nas *trading zones*; ela não está ligada às práticas instrumentais, mas aos processos de comunicação. De sua parte, Ian Hacking propõe, com o conceito de "estilo de raciocínio", uma outra abordagem dos fenômenos de convergência intelectual (cf. Hacking, 1991a, 1991b, 2002). Para ele, os estilos de raciocínio, estritamente ligados às práticas científicas, adquirem uma autonomia com relação a suas condições sociais de emergência e tendem à autojustificação. A partir daí, é a hipótese dos defensores do Programa forte que está aqui fragilizada: a estrutura de raciocínio subjacente ao trabalho científico não depende mais dos "interesses" daqueles que a fazem funcionar, ela não é mais simplesmente um reflexo do mundo, mas antes uma matriz ativa que contribui para construir o mundo, para pensá-lo, objetivá-lo. Hacking considera seus estilos de raciocínio como instrumentos mentais que podem ser objeto de usos diferenciados os quais, em acréscimo, podem efetivamente coabitar.

5 A leitura transversalista das dinâmicas da inovação: o modelo da Tripla hélice

Tal como os autores de *The new production of knowledge*, Henry Etzkowitz e Loet Leydesdorff defendem a idéia segundo a qual uma nova estrutura de relações entre a ciência e a sociedade apareceu após a Segunda Guerra Mundial (cf. Etzkowitz & Leydesdorff, 1997). O modelo da Tripla hélice tenta dar conta dessa nova configuração e, mais precisamente, de transformações nas relações entre as instituições acadêmicas, as empresas e o Estado no seio dos países ocidentais. Contrariamente aos antidiferenciacionistas, que reduzem essas configurações a redes sem consistência, Etzkowitz e Leydesdorff consideram que é no coração das relações que se estabelecem entre esses três setores que se constroem a ciência e a inovação técnica. Segundo esse modelo, essas inovações ocorrem na interface de três dinâmicas subjacentes:

(1) A criação de riquezas;
(2) a produção de conhecimento; e
(3) a expressão e a coordenação política de interesses diferentes.[2]

Uma tal configuração torna-se possível graças à emergência de centros de pesquisa e de organizações que põem em relação universidades e empresas industriais e nas quais participam as autoridades locais.

A metáfora da tripla hélice remete aos trabalhos de Francis Crick e Jim Watson sobre a estrutura geométrica do ácido desoxiribonucleico (DNA). Etzkowitz e Leydesdorff sugerem que, até um período recente, as trocas bilaterais entre as universidades e a indústria, entre indústria e esfera governamental ou, ainda, entre universidade e esfera governamental constituíam as condições de aparição da inovação tecnológica. Entretanto, depois de trinta ou quarenta anos, transformações em cada um desses setores – transformações que estão elas mesmas ligadas a evoluções mais amplas – facilitaram o crescimento dos conhecimentos científicos e contribuíram, além disso, para fazer com que tenham um papel central na evolução técnica, econômica e na inovação. Todas essas transformações engendraram, por sua vez, um *aggiornamento* completo das relações entre a universidade, a indústria e o Estado. É essa nova configuração que Etzkowitz e Leydesdorff

2 Veja-se no anexo o artigo "Tripla hélice e Nova produção de conhecimento: pensamentos prontos sobre ciência e tecnologia".

chamam a "Tripla hélice". Ainda que se possa notar a persistência de aspectos característicos ligados a suas próprias histórias, esses três setores, sob certas condições, fundiram-se de tal maneira que constituem hoje uma entidade. Etzkowitz e Leydesdorff consideram que a aparição dessa nova instância está na origem das espantosas inovações técnicas ocorridas em campos como a biotecnologia, a aeronáutica ou, ainda, a informática. A eficácia da Tripla hélice reside nas novas combinações de aprendizado e de energia que ela faz acontecer através de uma transgressão de antigas demarcações, tornando assim possíveis fluxos de comunicação até então inexistentes e uma renovação das relações de colaboração.

Etzkowitz e Leydesdorff insistem sobre o fato de que o modelo da Tripla hélice remete concretamente a todo um leque de instituições que foram criadas nos últimos decênios: parques de inovação tecnológica, incubadoras tecnológicas, universidades corporativas etc. (cf. Etzkowitz & Leydesdorff, 2000; Etzkowitz, 1998). Nesse tipo de organizações, a empresa tem o papel de uma universidade e o governo intervém ativa e diretamente enquanto agente de inovação. No contexto daquilo que Etzkowitz chama a "segunda revolução acadêmica", a universidade acrescenta a suas tarefas tradicionais de ensino e pesquisa a da inovação tecnológica e envolve-se ativamente em práticas econômicas. Os partidários do modelo da Tripla hélice evocam até mesmo a emergência de uma estrutura normativa da ciência inteiramente nova, que não é aquela que Merton pôs em evidência nos anos de 1940, nem aquela do empresário.

Nesse quadro, a sociologia transversalista propõe-se explorar a complexidade crescente da sociedade. Ela abarca as instituições que constituem uma configuração particular, capaz de responder aos grandes problemas do momento. A mudança induz à aparição de novas necessidades, mas também de desequilíbrios institucionais, os quais provocam a deflagração de mecanismos de ajuste que, por vezes, conduzem à emergência de novas instituições. A Tripla hélice é uma ilustração. Ela pode ser considerada como um nível de complexidade suplementar, mas igualmente como um fator de síntese que opera em um nível mais alto de complexidade que os elementos que a constituem.

Além disso, é necessário lembrar com insistência que a aparição desse estrato institucional não se faz às expensas das formas institucionais anteriores. Contrariamente ao que enuncia a abordagem antidiferenciacionista, os promotores do modelo da Tripla hélice consideram que a ciência e a tecnologia continuam a ser produzidas no seio de instituições clássicas, continuam a representar um papel nas universidades. Entretanto, os atores da inovação científica e técnica estão cada vez mais envolvidos com novas organizações e vêem-se investidos de novas missões em resposta às mudanças sociais.

A despeito desses trunfos, o modelo da Tripla hélice não deixa de apresentar diversos limites. Em primeiro lugar, de maneira comparável aos trabalhos que sustentam a hipótese da NPC, os textos fundadores do modelo são escritos em uma linguagem muito globalizante, o que torna difícil pôr em operação os procedimentos de verificação e falsificação. No entanto, contrariamente aos enunciados da NPC, as teses da Tripla hélice estão fundadas sobre uma arquitetura teórica essencialmente devedora da teoria dos sistemas de Niklas Luhmann e, pelo menos em parte, dos trabalhos de Jürgen Habermas, na medida em que a ciência é definida como uma forma de comunicação. Em segundo lugar, tendo em vista que o arsenal conceitual é pobre e, na medida em que não é proposto instrumento algum que permita estabelecer observações de maneira relativamente padronizada, os estudos de caso mobilizados pelos promotores da Tripla hélice não possuem mais que valor ilustrativo. Desse modo, falta ao modelo um exemplo arquetípico que apresentasse e incluísse as diferentes características marcantes. Em terceiro lugar, os pais da Tripla hélice não conseguem identificar precisamente quais são as novas configurações que constituem, concretamente, uma entidade Tripla hélice. Desse modo, falta substância à perspectiva.

Entretanto, essa abordagem tem maior aporte que seus concorrentes em pelo menos dois pontos. Ela permite pensar e explicar os processos de inovação que estão em curso nas sociedades científica e economicamente avançadas, assim como aqueles que ocorrem nos países em vias de desenvolvimento. Ela pode, ademais, reivindicar ter suscitado um amplo leque de aplicações. Concluiremos acerca deste ponto, fazendo a simples consideração de que a construção proposta por Etzkowitz e Leydesdorff é próxima do modelo sociológico, que ela está articulada com preocupações concernentes às condições limítrofes de sua pertinência, a um cuidado com a reflexividade e a perfectibilidade. Essas qualidades fazem do modelo da Tripla hélice uma abordagem bem superior às abordagens pós-modernas da inovação tecnológica.

Conclusão

As teorias e as descobertas científicas tornaram-se, nos últimos dois séculos, elementos centrais da cultura ocidental e é inegável que a evolução técnica, que a elas está ligada, teve um papel na melhoria do bem-estar material dos seres humanos.

Teorias sociológicas sólidas mostram que o nascimento e desenvolvimento da ciência dependem estritamente de configurações institucionais particulares. Ainda que a ciência, enquanto modo de conhecimento, tenha começado a desenvolver-se antes do século XVII, foi a aparição de organizações específicas, articuladas a sistemas de crenças e de normas próprias, que lhe permitiu perenizar-se sob a forma de profissões e de um verdadeiro campo social autônomo, no qual se exerce um controle reputacional do trabalho. A sociologia diferenciacionista da ciência, que predominou entre os anos 1940 e 1970, contribuiu de modo considerável para a análise da sociogênese da ciência e para a apreensão de seus mecanismos internos de regulação. Mas ela contribuiu igualmente para colocar a ciência em um pedestal, ao não ser capaz de propor uma análise precisa das formas de imbricação entre ciência e sociedade.

A ciência aparece bastante menos homogênea do que supunham os sociólogos diferenciacionistas. Ela revela-se igualmente bem mais ligada a práticas sociais que não são especificamente de ordem científica. Essa é a lição da sociologia antidiferenciacionista que, desde o início dos anos 1980, começou a desenhar o retrato desmistificado de um campo científico, no qual o poder, o dinheiro e o lucro simbólico constituem poderosos motores práticos, como em qualquer outro microcosmo social.

A sociologia antidiferenciacionista vai mesmo mais longe, considerando como uma expressão da cultura o que os cientistas interpretam como natureza. A natureza se reduz, para eles, a um produto da cultura. Quanto à verdade científica, ela não se reveste senão do estatuto que conferimos aos enunciados e às proposições de atores vencedores nesse mundo em guerra que constitui a ciência. Para os antidiferenciacionistas, as verdades não são apenas múltiplas, mas se equivalem, e a posição relativista é a única sustentável. Os estudos de caso muito ricos empreendidos pelos antidiferenciacionistas deram, assim, lugar a formas de niilismo relativista insustentáveis, mas igualmente a discursos anticiência. Em certos escritos, a morte da ciência (da universidade, das disciplinas, da avaliação pelos pares) é anunciada. A distinção racional entre a ciência e a tecnologia é rejeitada. Certos sociólogos profetizam e reforçam que somente tem futuro o conhecimento dito aplicado, modelado pela demanda social e pelas exigências econômicas do mercado.

A sociologia transversalista da ciência e da tecnologia tenta, de sua parte, explorar não somente os mecanismos sociais que dão à ciência sua autonomia, permitindo-lhe preservar uma capacidade de definir de modo endógeno seus próprios critérios de excelência profissional, mas também os mecanismos mais heteronomizantes que fazem dela um microcosmo social em ligação com os outros microcosmos sociais. A sociologia antidiferenciacionista demonstra muito bem até que ponto as práticas científicas são polimorfas e diversificadas. A partir disso, conclui que elas são assimiláveis a atividades sociais como as outras. Na perspectiva transversalista, a ciência remete a um conjunto de regimes de produção e de difusão do conhecimento estáveis, historicamente identificáveis, aos quais correspondem campos particulares de atividade de pesquisa e mercados de difusão. A ciência é, com certeza, enormemente diferenciada, mas os processos de federação são determináveis. Essa sociologia evidencia como a ciência está dotada de certa unidade e no que ela remete a formas de saberes particulares, caracterizadas por uma universalidade que há muito tempo foi pensada epistemologicamente, mas que pode também ser analisada e apreendida sociologicamente.

A sociologia da ciência e da tecnologia enfrenta um desafio que lhe é apropriado. O filósofo Ian Hacking defendeu a idéia de que os enunciados produzidos pelos cientistas sobre o mundo social podem ter um impacto sobre o mundo, enquanto os enunciados produzidos sobre o mundo físico deixam esse mundo imutável (cf. Hacking, 2001). Isso mostra até que ponto a posição da sociologia da ciência é delicada. Ela deve endossar uma dupla vocação: apreender os processos de acumulação do capital material e simbólico que operam no seio de cada campo científico, assim como em todo microcosmo social, e analisar, ao mesmo tempo, os mecanismos em virtude dos quais a racionalidade e a reflexividade tendem a subtrair as proposições científicas da contingência social, permitindo-lhes, assim, dar conta de qualidades universais, estáveis e duráveis do mundo físico. A ambição de uma sociologia da ciência pertinente é tornar inteligíveis as dinâmicas sociais em operação na elaboração dos conhecimentos científicos, mas, igualmente, esclarecer as condições que permitem aos cientistas neutralizar os fatores sociocognitivos suscetíveis de pesar sobre o livre exercício da racionalidade crítica.

Anexo

Tripla hélice e Nova produção de conhecimento: pensamentos prontos sobre ciência e tecnologia[1]

Terry Shinn

As demandas insistentes, que se originaram no governo e, em menor grau, na indústria, por reajustamentos nas relações ciência/empresa/Estado foram postas em movimento pelas crises energéticas dos anos 1970 e, novamente, pelas depressões econômicas dos anos 1980 e começo da década de 1990. A ciência e a tecnologia foram apresentadas como uma solução para a extrema dependência de suprimentos de energia vindos do exterior e como uma panacéia ao marasmo econômico e ao desemprego agudamente crescente.[2] Sociólogos, economistas, cientistas políticos e gestores de políticas científicas responderam das mais variadas maneiras à subseqüente emergência de um novo conjunto de expectativas, discursos e projetos políticos, industriais e sociais. Uma reação consistiu em empreender estudos sobre as interações entre a pesquisa, os negócios e o governo, com sugestões de sistemas de referência conceitual para explicar as mudanças observadas. Outros estudiosos propuseram um esquema para a transformação e tornaram-se ativistas partidários da promoção da mudança. As duas reações têm seu lugar dentro dos limites de campos cognitivos e sociais particulares.

---

1 Este anexo foi traduzido do original em inglês, "The Triple helix and New production of knowledge: prepackaged thinking on science and technology". *Social Studies of Science*, 32, 4, p. 599-614, 2002.

2 Para uma análise do impacto da ciência e da tecnologia sobre a sociedade depois de 1945, ver Jean-Jacques Salomon (1999).

Este comentário irá explorar essa reação, com referência aos campos associados à Tripla hélice e à Nova produção de conhecimento. O livro *The new production of knowledge*, publicado em 1994, de autoria de Michael Gibbons, Camille Limoges, Helga Nowotny, Simon Schwartzman, Peter Scott e Martin Trow, argumenta que a maneira pela qual o conhecimento científico, as práticas técnicas, a indústria, a educação e a sociedade de modo geral estão organizados e funcionam hoje em dia está em nítido contraste com as relações que tinham em épocas recentes. Os autores falam de dois modos distintos de produção do conhecimento. O "modo 1" é caracterizado por uma clivagem entre a academia e a sociedade. A academia gira em torno de uma universidade autônoma, de disciplinas e especialidades autodefinidas e auto-sustentadas, e da determinação pelos pares científicos do que constitui e não constitui ciência e verdade. Ao que parece, aqui não há relação alguma entre a academia e a indústria. Por contraste, o "modo 2" de produção de conhecimento aponta o enfraquecimento ou o colapso da universidade moderna, a desaparição das disciplinas científicas e a atrofia do controle pelos pares sobre a direção e o conteúdo dos programas de pesquisa. A ciência no "modo 2" caracteriza-se pela interdisciplinaridade, pelo movimento contínuo de equipes de especialistas, em forças-tarefa de curto prazo, entre domínios de problemas, e pela primazia dos problemas sociais e econômicos no estabelecimento de quais esferas do conhecimento devem ser desenvolvidas. Desse modo, a sociedade nega legitimidade às prerrogativas científicas, sua autonomia institucional e identidade cultural.

Contrariamente, a Tripla hélice sublinha as continuidades históricas. Persistem as relações anteriores entre a universidade, a indústria e o governo. Mas a esses modelos de aprendizado e ação acrescenta-se agora outro, que foi chamado "Tripla hélice". Diferentemente da visão da Nova produção de conhecimento, a Tripla hélice não possui um documento programático, na forma de um único livro extremamente visível, que pode ser prontamente citado. Mais que repudiar as diferenciações institucionais, essa perspectiva identifica o nascimento de uma camada suplementar no "desenvolvimento do conhecimento", uma camada na qual se encontram grupos específicos da academia, da empresa e do governo para enfrentar novos problemas que se originam em um mundo econômico, institucional e intelectual em profunda transformação. A Tripla hélice pretende ser uma expressão sociológica do que se tornou uma ordem social crescentemente baseada no conhecimento.

Essas duas perspectivas levantam cinco questões. As duas primeiras questões são reflexivas: primeira, quanta atenção cada uma das perspectivas recebeu? Segunda, quem realmente "usa" essas duas perspectivas? Que papéis nacionais, institucionais e disciplinares elas exercem? Enunciadas diferentemente, e utilizando a linguagem de Pierre Bourdieu, qual é a estrutura de seu campo sociocognitivo? Por "campo sociocognitivo" entendo as interdependências entre os elementos histórico, institucional e político, que são estruturalmente integrantes do conhecimento, e os componentes racional e retórico, que são igualmente determinantes (cf. Bourdieu, 1975). Um "campo sociocognitivo" é um domínio no qual elementos cognitivos e sociais são simultaneamente auto-referentes e combinatórios à medida que interagem para formar um todo. Terceira, quais são as características das afirmações, dos dados, da metodologia e da teoria das duas perspectivas? Têm elas perfis similares ou operam em diferentes campos sociocognitivos intelectuais e institucionais? Quarta, quais são as mudanças (se há alguma) de análise, diagnóstico ou prognóstico que ocorreram nessas duas perspectivas nos últimos anos? Por fim, quais são os domínios de inconsistência interna, inadequação ou mal funcionamento de cada abordagem?

Uma pitada de reflexividade

Os sociólogos da ciência e da tecnologia fazem rotineiramente estudos bibliométricos de cientistas que trabalham nas ciências físicas e da vida, de modo a aprender sobre a produtividade de uma escola de pesquisa, sobre aqueles que se ocupam dela e sobre aqueles que constituem suas audiências. Para examinar o "impacto" da Tripla hélice e da Nova produção de conhecimento, e os lugares institucionais das pessoas que incorporam essas perspectivas (ou, pelo menos, que se referem a elas), consultei o *Social Science Citation Index*, para o período entre 1995 e 2000, assim como informações disponíveis na Internet. Uma comparação precisa das duas abordagens encontra sérias dificuldades metodológicas, de modo que o quadro que apresento é uma aproximação, embora eu acredite que é suficientemente rigoroso para sugerir diferenças importantes entre as duas comunidades.

The new production of knowledge: the dynamics of science and research in contemporary societies constitui um documento programático e um manifesto de grupo. Um segundo tratado, *Re-thinking science*, de Helga Nowotny, Michael Gibbons e Peter Scott, apareceu em 2001 (Nowotny *et al.*, 2001; cf. Audétat, 2001). Para meu estudo aqui, limitei as tabulações quantitativas às referências feitas ao primeiro livro, por Gibbons *et al.* Para o período entre 1995 e junho de 1999, um total de 98 referências foram feitas ao livro: 1995 (8), 1996 (16), 1997 (15), 1998 (30), 1999 (29). O número de referências para os primeiros seis meses de 1999 já iguala aquele de 1998; para o período entre 1995 e julho de 2002, o total (sem incluir as autocitações) é de 266 citações. Os periódicos que citam incluem sociologia, sociologia da ciência e da tecnologia, política científica, psicologia, psicologia social e educação. Referências em revistas de educação são particularmente abundantes. Com efeito, tanto a quantidade como o âmbito das citações a *The new production of knowledge* são impressionantes.

Contrariamente à Nova produção de conhecimento, a Tripla hélice não possui um documento programático.[3] Isso sugere uma importante diferença estrutural entre os dois campos sociocognitvos. A Tripla hélice emergiu gradualmente, e sua arquitetura textual toma a forma de numerosas peças interconectadas, tais como introduções e conclusões de trabalhos coletivos, capítulos, artigos ou anotações de conferências não publicadas. De modo a tornar minha tarefa bibliométrica mais tratável, tabulei as referências feitas a seis peças definitórias ou empírico-descritivas ou teóricas, publicadas por Loet Leydesdorff ou/e Henry Etzkowitz (os fundadores da perspectiva da Tripla hélice) entre 1995 e 1998; e às peças publicadas em dois volumes coletivos editados por Leydesdorff e Etzkowitz em 1997 e 1998.[4]

Tal como medido pelo *Social Science Citation Index*, o impacto da perspectiva da Tripla hélice é negligenciável – quase inexistente. Para o período entre 1996 e a metade de 1999, encontrei apenas uma referência ao conjunto extensivo ao qual apliquei a minha pesquisa bibliométrica; de 1995 a

3 Tampouco o número especial de *Research Policy*, de 2000, funciona como uma declaração doutrinária do mesmo modo como em Gibbons *et al.*, 1994, nota 2.

4 Leydesdorff & Etzkowitz, 1996; Etzkowitz & Leydesdorff, 1996; Etzkowitz & Leydesdorff, 1997; Leydesdorff & Etzkowitz, 1998a; Leydesdorff & Etzkowitz, 1998b; Leydesdorff & Etzkowitz, 1998c; Etzkowitz & Leydesdorff, 1998; Leydesdorff & Etzkowitz, 1998d; Etzkowitz & Leydesdorff, 1999.

julho de 2002 (incluindo o número especial da *Research Policy*, 2000), o total (excluindo as autocitações) é 35 citações. Também examinei o lugar ocupado pelas duas perspectivas na Internet, onde a história é bastante similar. Utilizando como motor de busca o *altavista.com*, descobri cerca de 30 páginas da *web* que se referem à seqüência combinada de palavras "Nova produção de conhecimento" e "modo 2". O tema da educação é novamente predominante; por exemplo, em relação à concepção da "nova" universidade, a "ciberuniversidade", e assim por diante. Entretanto, os sítios da Nova produção de conhecimento se estendem até a psicanálise das organizações! (cf. *The International*, 1999). Na Internet, essa perspectiva é um bom exemplo do "efeito da moda", já que indivíduos e grupos de uma grande variedade de disciplinas e ocupações aderem a ela. Aparentemente, a terminologia (Nova produção de conhecimento) ressoa num grande número de áreas, onde se pode ver que ela engendra uma comunidade, cuja característica comum consiste em invocar um conjunto de palavras. Resta saber se o vocabulário compartilhado está enraizado em conceitos estruturados ou se é meramente uma frase feliz. Durkheim demonstrou o poder das metáforas e sua centralidade na sociologia, mas a Nova produção de conhecimento é uma metáfora ou simplesmente uma frase feliz? (cf. Durkheim, 1898).

A Tripla hélice não é proeminente no *Social Science Citation Index*, nem na Internet. Com base no motor de pesquisa *Copernic*, identifiquei oito sítios.[5] Eles incluem informação

5 Em 20 de fevereiro de 2000, os endereços da web compreendiam:
<http://www.itoi.ufrj.br>. Acesso em 05 jun. 2002;
<http://www.itoi.ufrj.br/general.htm>. Acesso em 05 jun. 2002;
<http://www.itoi.ufrj.br/cfocus.htm>. Acesso em 05 jun. 2002;
<http://www. Leydesdorff.net/th2/ihe98.htm>. Acesso em 05 jun. 2002;
<http://www.chem.uva.nl/sts/loet/th2/papers/th2ley.htm>. Acesso em 05 jun. 2002;

sobre as três conferências internacionais da Tripla hélice (Amsterdam, 1996; Nova York, 1998; Rio de Janeiro, 2000), assim como um sítio com informações gerais e um fórum de discussão. Os sítios parecem estar atualizados e razoavelmente ativos. Obviamente, como todos sabem, a Internet é um lugar para a auto-promoção, de modo que deve ser tratada com cuidado enquanto indicador de impacto. A mão de Loet Leydesdorff é discernível na maioria desses sítios, e isso contrasta com os sítios da Nova produção de conhecimento, nos quais os autores do livro seminal parecem ter apenas um papel marginal.

Como acontece que os indicadores de impacto da Tripla hélice permaneçam tão baixos, tanto no *Social Science Citation Index* quanto na Internet? O que isso significa? Como o indicador de baixo impacto para a Tripla hélice se coaduna com a realidade de que seu foco analítico gerou três amplas conferências internacionais, deflagrou vários artigos e levantou considerável quantidade de dinheiro público e privado? De imediato, o modesto indicador de impacto no *Social Science Citation Index* e na Internet sugere que existem razões

---

<http://www.chem.uva.nl/sts/loet/th2/bookabs.htm>. Acesso em 05 jun. 2002.
<http://www.sura.org/~ghb/talks/triple_h/tsld001.htm>. Indisponível em 05 jun. 2002;
<http://vest.gu.se/vest_mail/0650.htm>. Indisponível em 05 jun. 2002;
<http://vest.gu.se/vest_mail/0474.html>. Indisponível em 05 jun. 2002;
<http://vest.gu.se/vest_mail/sci-tech_1996/subject.html>. Indisponível em 05 jun. 2002;
<http://vest.theorysc.gu.se/vest_mail/1621.html>. Indisponível em 05 jun. 2002;
<http://vest.theorysc.gu.se/vest_mail/1339.html>. Indisponível em 05 jun. 2002;
<http://platon.ee.duth.gr/data/maillist-archives/th/threads.html>. Indisponível em 05 jun.2002;
<http://www.diotima.math.upatras.gr/mirror/mailbase.uk/lists/euroconknowflow/1998-07/0027.html>. Indisponível em 05 jun. 2002;
<http://www.diotima.math.upatras.gr/mirror/mailbase.uk/lists/euroconknowflow/1998-09/0002.html>. Indisponível em 05 jun. 2002.

para repensar a relação entre o crescimento das idéias e das reputações, de um lado, e o que as contagens de citações nos dizem, de outro lado. De fato, o que as contagens de citações nos dizem acerca da precisão, rigor e documentação das alegações? Nas ciências sociais, citação abundante pode ser um padrão melhor para a linguagem evocativa, a especulação e generalizações de grande alcance do que indicativa de mensurações prudentes ou teste cuidadoso de hipóteses.

A composição geográfica das comunidades que aderem à Tripla hélice e à Nova produção de conhecimento também difere significativamente. A distribuição geográfica da audiência da Tripla hélice é bastante ampla e inclui grande número de pessoas da América Latina, Ásia e África. Por outro lado, a audiência da Nova produção de conhecimento concentra-se na Europa ocidental e nos Estados Unidos e Canadá. Com base nas afiliações institucionais de autores citados e de indivíduos participantes de encontros relevantes, mais de 90 por cento da audiência da Nova produção de conhecimento está baseada no norte, contra aproximadamente 65 por cento da Tripla hélice (estes últimos dados estão baseados na participação em conferências). A Tripla hélice goza assim de amplo rol de seguidores nos países em desenvolvimento. Como veremos, há razões óbvias para isso.

Métodos, afirmações e conceitos

As estruturas intelectuais da Tripla hélice e da Nova produção de conhecimento diferem significativamente. O núcleo da Nova produção de conhecimento está localizado num único volume, no qual são feitas alegações acerca do desaparecimento das universidades, das disciplinas científicas e dos laboratórios acadêmicos; e de um aumento na interdisciplinaridade, em temas de pesquisa econômica e socialmente relevantes e do aparecimento de forças-tarefa de pesquisa, ligadas aos negócios, perpetuamente fluidas, no quadro referencial de um novo tipo de epistemologia socialmente útil. O livro pode, nesse sentido, ser lido como um documento compacto e articulado que reflete os interesses de acadêmicos e outras pessoas preocupadas com as relações comerciais, de aprendizado e sociais globais.

O leitor depara-se com três características. *The new production of knowledge* levanta poucas questões acerca da evolução da ciência e da tecnologia, ou acerca das mudanças em suas relações com as empresas e com a sociedade. Ao contrário, oferece certo número de indicações pré-fabricadas acerca de onde a ciência supostamente veio e para onde se alega que vai. Nenhuma questão, mas muitas respostas. Num plano paralelo, quase nenhuma evidência concreta é dada para as asserções feitas; e nenhuma providência é feita para um trabalho empírico futuro, histórico ou sociológico. Enquanto a ausência de dados no livro é aflitiva, as pessoas interessadas nessa abordagem e que desejam explorar suas possibilidades devem esperar por informação precisa em trabalhos subseqüentes. Contudo, essa esperança até agora não se concretizou: os seis autores não embarcaram em projetos empíricos confirmadores; nem outros colegas chegaram a dados corroboradores.

A falta de desenvolvimento empírico dessa perspectiva é particularmente lamentável, pois é fácil imaginar que suas doutrinas poderiam mostrar-se altamente instrutivas para o estudo de uma série de domínios importantes, mas pouco estudados – tais como as relações fluidas e multideterminantes da orientação, produção, aplicação e avaliação do conhecimento em/para comunidades de doentes ou de deficientes físicos.[6] Mas até onde sei, a pesquisa nessa direção não foi inspirada por *The new production of knowledge*. Além disso, o trabalho empírico sistemático que foi empreendido com referência à Nova produção de conhecimento (talvez em campos menos propícios para suas predições) sugeriu, em grande medida, que as afirmações estão em oposição à evidência disponível, ou que as afirmações não são, quando muito, claramente validadas pelos fatos disponíveis (cf. Godin, 1998; Godin & Gingras, 2000; Pestre, 1997; Shinn, 1999; Weingart, 1997). Em suma, parece que, atualmente, faltam estudos controlados cuidadosos, em esferas selecionadas, para identificar o alcance e as condições limítrofes das generalizações apressadas expressas no livro. Falta a ele o motor metodológico necessário para levar adiante qualquer programa de pesquisa.

Essas dificuldades programáticas e metodológicas podem ser uma conseqüência do fato de que a abordagem não tem um referente teórico. Ela não está especialmente conectada a nenhum sistema de referência conceitual – por exemplo, aos de Durkheim, Weber, Parsons, Bourdieu, Habermas ou Luhmann. O livro *The new production of knowledge* não trabalha, nem define, seus conceitos sociológicos centrais. Tem-se a tentação de perguntar se possui algum. A resposta é complicada. Incorporam-se conceitos, mas é duvidoso que esses conceitos sejam rigorosamente sociológicos.

Isto posto, a abordagem é "antidiferenciacionista", na medida em que procura minimizar ou negar demarcações entre instituições acadêmicas, técnicas, industriais, políti-

---

6 Uma equipe dirigida por Joske Bunders na Universidade Livre de Amsterdam está empreendendo uma pesquisa promissora em saúde e biotecnologia, usando hipóteses retiradas da Nova produção de conhecimento.

cas e sociais. Descarta, assim, fronteiras e divisões de trabalho. A perspectiva rejeita as noções de formas específicas de conhecimento e constituintes sociais específicos em favor de conhecimento indiferenciado e de conjuntos sociais indiferenciados, onde desaparecem até mesmo as distinções entre natureza e cultura.

Entretanto, essa linha antidiferenciacionista radical nunca se apoiou em teorias, conceitos ou modelos sociológicos. Ao contrário, ela se mantém como um elemento solto no ar, sem integração. Essa situação é admissível se a perspectiva é interpretada não como um programa sociológico de pesquisa, voltado para o estudo da produção, difusão e uso do conhecimento, mas antes como um discurso performativo. Essa tendência pós-modernista associa-se ao que parece ser uma preferência muda pela globalização. Ao invés de teoria e dados, a Nova produção de conhecimento – tanto o livro como o conceito – parece marcada pelo compromisso político. Os autores parecem acreditar realmente em uma nova ordem social e cognitiva. Trabalham ativamente em seu favor e procuram persuadir outros a pensar do mesmo modo. Pode-se perguntar se a perspectiva não é mais uma plataforma social do que um quadro de referência sério e sistemático para a investigação acadêmica.

Obviamente, aventuras ambiciosas envolvem certa parcela de auto-promoção e propaganda. Contudo, um programa de pesquisa deve exibir um plano cognitivo em adição a um conjunto de estratégias profissionais. A questão é então a seguinte: qual é o "projeto" intelectual da Nova produção de conhecimento? Mas, pela mesma razão, deve-se perguntar a mesma questão para a Tripla hélice: qual é seu projeto intelectual e sua agenda?

Os horizontes da Tripla hélice são quatro. Primeiro, ela desenvolveu uma base empírica, na forma de múltiplos estudos de caso sobre as mudanças nas relações entre a universidade, a indústria e o Estado. Muitos dos artigos que aparecem no número de fevereiro de 2000 de *Research Policy* documentam as relações cambiantes entre os três estratos que compõem a Tripa hélice com respeito a setores econômicos e campos cognitivos específicos – biotecnologia, aeronáutica, computadores e instrumentação. Implicitamente, esses estudos levantam uma questão central: qual é a extensão da Tripla hélice? Ela se aplica apenas a um âmbito estreito de configurações econômicas, cognitivas, técnicas e governamentais e, se assim for, quais são elas? A centralidade dos dados empíricos permite, de certo modo, neutralizar a propensão normativa associada aos modelos sociológicos. As inclinações para a generalização são, em parte, contrabalançadas pelas análises de eventos concretos. Como será visto abaixo, uma vigorosa atenção a questões de fato conduziu recentemente a algumas mudanças centrais no foco do modelo, nas prescrições e no impulso conceitual. Essa inclusão estruturada de informação detalhada no processo de modelagem e na avaliação da utilidade do modelo está em oposição com a Nova produção de conhecimento, que permanece vazia de dados e pronta para generalizações apressadas.

Segundo, a Tripla hélice enfrenta explicitamente problemas concretos e urgentes de política governamental, acadêmica e industrial. Aqui, os autores do modelo algumas vezes envolvem-se no incentivo a empreendedores, administradores universitários e figuras públicas, no sentido de repensarem a política e a conduta, em resposta às mudanças nas tendências cognitivas, técnicas e econômicas internacionais. O modo de ação não é o de um *lobby* ou movimento, mas antes o de um *think tank* muito sério. Além disso, a profusão de publicações e encontros associados à Tripla hélice auxilia os gestores de políticas a manter-se a par dos ambientes em mudança – e, quando possível, antecipar a mudança. É prova disso o envolvimento, na reflexão sobre a Tripla hélice, da *National Science Foundation*, do *Centre National de la Recherche Scientifique*, da Organização do Tratado do Atlântico Norte (OTAN), da *European Comission*, e das autoridades políticas e acadêmicas no Brasil e em outros países em desenvolvimento.

Com freqüência implicitamente, e por vezes explicitamente, os autores da Tripla hélice perguntam se os novos arranjos que emergem entre academia, indústria e Estado são relevantes para os processos atuais de emergência econômica, intelectual e política em andamento na América Latina, África e Ásia. As realidades institucionais dos países em desenvolvimento são suficientemente similares àquelas das nações do norte (em cujas experiências o modelo está baseado), para fazer com que a análise da Tripla hélice seja relevante? Se existe uma disparidade, é possível ou desejável usar a Tripla hélice como linha diretriz das transformações nas relações universidade/indústria/Estado de modo a reforçar processos de emergência? Dado o tamanho das delegações que participaram da conferência no Rio de Janeiro em abril de 2000, a esperança de que isso aconteça é bastante grande. Esse aspecto da Tripla hélice contrasta com a perspectiva da Nova produção de conhecimento, que fala mais para ambientes institucional e tecnologicamente avançados.[7]

Terceiro, o impulso analítico da Tripla hélice é o oposto do da Nova produção de conhecimento, na qual são negadas as distinções entre (ou as diferenciações entre) a ciência e a tecnologia, a indústria e a academia, a sociedade e o conhe-

7 Uma importante exceção a essa generalização encontra-se nos trabalhos de Roland Waast do *Institut de Recherche sur le Développement*, que vê na Nova produção de conhecimento uma abordagem frutífera para estudar as transformações na organização e no trabalho em ciência e tecnologia na África após a década de 1960.

cimento. Por oposição, a Tripla hélice segue uma estratégia neodiferenciacionista (cf. Shinn, 1999, nota 11). Henry Etzkowitz e Loet Leydesdorff argumentam que, enquanto por quase todo o século XIX e a primeira metade do século XX, os estratos relacionados, mas distintos, ocupados por universidade, indústria e Estado funcionaram efetivamente, os eventos internos a cada um deles e as mudanças nas relações entre eles estão originando ainda outra unidade diferenciada – uma unidade que funde os três estratos de um modo historicamente único, a *Tripla hélice*. Essa entidade emergente constitui uma nova síntese entre Estado, academia e empresa. Contudo, diferentemente da Nova produção de conhecimento, essa síntese não apaga descontinuidades anteriores, mas antes constitui uma nova descontinuidade adicional – a Tripla hélice (enquanto oposta às três hélices tomadas isoladamente).

Essa perspectiva neodiferenciacionista gera muitas questões: quais são precisamente as entidades concretas que ela compreende? Quais os mecanismos que conduziram a sua emergência? Quais são as novas funções que ela preenche? Como podemos saber que a Tripla hélice é uma "nova" diferenciação, ao invés de um reajustamento que modificou os ambientes, sem pôr em risco as instituições estabelecidas? Entidades tais como incubadoras, *start-ups* e outras novas formas de parceria governo/empresa são exemplos decisivos dos quais depende a validade da Tripla hélice? Esta parece ser uma questão empírica, ainda que seja uma questão difícil!

Quarto, a Tripla hélice é acompanhada por um quadro de referência teórico que toma a forma da teoria da auto-organização e da coevolução. As referências-padrão a esse respeito são Humberto Maturana e Francisco Varela (1980) e Niklas Luhmann (1996; cf. também Krohn, Küppers & Nowotny, 1990). As afirmações centrais dessa teoria são as seguintes:

(1) Sob condições específicas, as estruturas institucionais e cognitivas tornam-se mal adaptadas às situações correntes e instáveis;

(2) várias estruturas evoluem, e essa coevolução gera uma estrutura institucional e/ou cognitiva historicamente nova;

(3) o tempo constitui uma dimensão fundamental nesse processo dinâmico;

(4) coevoluções resolvem temporariamente problemas de disparidades nas complexidades dos sistemas anteriores;

(5) com o tempo, os novos níveis de complexidade são, eles próprios, acompanhados por novas disparidades (institucionais e/ou cognitivas), e isso alimenta mais ciclos de coevoluções.[8]

Muitos interlocutores expressam seu incômodo com os pronunciamentos teóricos que envolvem a Tripla hélice, e que consideram até mesmo desconcertantes.[9] Em parte, isso pode derivar das dificuldades com as formulações matemáticas associadas à teoria. Pode também originar-se de dificuldades em penetrar a terminologia interna da teoria (expressões tais como "*lockin*" e "*overlays*"). Se está sendo transmitida uma mensagem teórica, ela não é inteligível para a maior parte da audiência. Um entendimento incompleto da

---

8 Este breve sumário não faz justiça aos detalhes, às imbricações e às complicações da teoria. O nível atual de meu entendimento não permite ir além desses preceitos gerais e sugiro que isso pode ser sintoma de um problema maior e até mesmo de um mal-estar.

9 Por exemplo, comentários e objeções acerca da linguagem ininteligível usada no enquadramento dos componentes teóricos da Tripla hélice foram recorrentes durante o encontro que organizei juntamente com Benoît Godin na *Maison des Sciences de l'Homme* em Paris em junho de 1998, no qual se comparou as perspectivas da Tripla hélice e da Nova produção de conhecimento. Críticas semelhantes foram feitas no encontro do Rio de Janeiro dedicado à Tripla hélice, em abril de 2000.

teoria ligada à Tripla hélice impede potencialmente uma apreciação completa do modelo e de suas possibilidades inerentes. A mensagem teórica que acompanha a Tripla hélice precisa tornar-se inteligível. Senão, o conceito de coevolução provavelmente será visto como irrelevante ou errado, e desligado dos componentes empírico, de diagnóstico e de prognóstico da Tripla hélice. O resultado seria um modelo menos ambicioso, ao invés de fortemente preditivo, integrado em uma teoria social geral.

A adequação entre a teoria e os dados empíricos constitui outro problema: a teoria da coevolução descreve estruturas e transformações em um metanível e em termos macroscópicos. A procura por unidades apropriadas de análise tem lugar em um alto nível de agregação, generalização e abstração. Contudo, tais operações e postulados analíticos podem não se coadunar muito bem com os estudos empíricos ricos, interessantes e perspicazes promovidos pela Tripla hélice. É necessário especificar mecanismos intermediários para ligar mudanças institucionais, econômicas e cognitivas bem estabelecidas à teoria coevolucionária de modo não ambíguo e corroborativo.

Justifica-se, assim, perguntar se a coevolução constitui o único ou o melhor quadro teórico para a Tripla hélice. Outros sistemas, tais como o funcionalismo de Durkheim, ou os conceitos de "campo" e "hábito" de Bourdieu, não proporcionariam alternativas? Se não, então por que? A objeção provável de que os sistemas alternativos não incluem a dimensão do *tempo*, ou não fazem isso de uma maneira sistemática, constitui um argumento suficiente para prender a Tripla hélice à coevolução?

SOCIOLOGIA *versus* INTROSPECÇÃO

Até recentemente, a mensagem da Nova produção de conhecimento permaneceu constante. Embora alguns de seus autores (Michael Gibbons e Helga Nowotny, em particular) tenham falado com freqüência em defesa de suas idéias, nada de novo foi publicado até 2001, quando, felizmente, surge *Re-thinking science*, que nos permite examinar a questão da mudança na perspectiva da Nova produção de conhecimento (cf. Nowotny, Scott & Gibbons, 2001, nota 5). Qual é a mensagem deles hoje, e como ela se posiciona em relação àquela de 1994?

Como muitos outros, os autores falam de um "novo contrato" entre a sociedade e a ciência. Eles também escrevem acerca da "sociedade aprender a falar com a natureza" – querendo com isso afirmar o desaparecimento do referente científico como base para a legitimidade científica e sua substituição por um referente puramente social. O livro introduz alguns termos novos – ou, de qualquer modo, termos existentes em usos não familiares. Muitos merecem uma reflexão ulterior.

(1) Por exemplo, os autores argumentam em favor da "contextualização", com o que se referem à necessidade de "des-diferenciação" entre ciência e sociedade. Argumentam que enquanto a modernidade se caracterizou pelas distinções entre natureza/cultura e ciência/sociedade, essa demarcação agora não vale mais. A ordem pós-moderna deve ser "heterogênea", e a heterogeneidade não implica diferenciações. Públicos heterogêneos dirigem-se aos produtores de conhecimento na "ágora" (Nowotny, Scott & Gibbons, 2001, p. 47-9).

(2) A sociedade pós-moderna caracteriza-se pela "comunicação reversa" – isto é, pela comunicação da sociedade para os produtores de conhecimento, e não *vice-versa*. A sociedade decide o que o conhecimento deve ser. Os produtores de conhecimento aceitam e seguem. O conhecimento é aprendizado socialmente relevante, e é gerado em relações fluidas entre o Estado, os mercados e a indústria. A produção de conhecimento é representada como uma operação de fase de transição (Nowotny, Scott & Gibbons, 2001, p. 110).

(3) Os "especialistas" operam em um quadro de referência de "conhecimento socialmente distribuído". O aprendizado não é mais separado da sociedade, e as atividades dos especialistas asseguram que ele satisfaça as necessidades sociais. Para eles, uma empresa próspera em uma economia global constitui a necessidade suprema (Nowotny, Scott & Gibbons, 2001, p. 226).

(4) Os autores de *Re-thinking science* insistem que a Nova produção de conhecimento envolve uma nova epistemologia, que eles rotulam "conhecimento socialmente robusto". Eles argumentam que os avanços na teoria física estagnaram e que as possibilidades de novas conceituações estão exauridas. O "conhecimento socialmente robusto" refere-se à inclinação dos cientistas de formular problemas de pesquisa promissores em termos das "novidades" que podem engendrar. O "conhecimento socialmente robusto" consiste na sistematização da pesquisa e do ensino investidos de uma missão e orientados para a aplicação (Nowotny, Scott & Gibbons, 2001, p. 167). Os rigores da relevância tornam-se o metro epistemológico da Nova produção de conhecimento, e sua medida será tomada por especialistas, funcionando no sistema do conhecimento socialmente distribuído. Isto, os autores enfatizam, é o que está implicado no "modo 2".

A mensagem de *Re-thinking science* é similar àquela produzida há quase uma década em *The new production of knowledge*. Ambas apontam o fim da ciência disciplinar, das universidades, da pesquisa baseada em laboratórios e das diferenciações entre conhecimento científico *per se* e sociedade. Ambas atribuem primazia à relevância social do ensino e, em particular, às demandas das empresas. O livro de 1994 faz alusão a uma nova epistemologia, o último livro desenvolve o tema e o identifica como ponto de apoio do modo 2. Tal como no volume de 1994, o último livro silencia quando deveria apresentar a evidência ou sugerir as direções de pesquisa. O livro parece ser, principalmente, um produto da introspecção e uma base para reflexão futura.

Finalmente, não se pode deixar de indagar se *Re-thinking science* não abre o caminho para, ou até mesmo não legitima, uma visão neocorporativista do mundo. Ao destruir a especificidade e o quadro institucional da ciência, da tecnologia, da indústria e da política, não estariam Nowotny, Gibbons e Scott lançando, inadvertidamente, as bases de um amálgama social cuja direção e detalhes podem ser prontamente impostos por uma força política autoritária?

Essa posição estática contrasta com as análises móveis e flutuantes propostas pelos arquitetos da Tripla hélice. Em um encontro em junho de 1998 para comparar a Tripla hélice e a Nova produção de conhecimento, sugeri que as duas abordagens exibem um grau de simetria inversa. Argumentei que a Nova produção de conhecimento constitui uma mensagem "anti-diferenciacionista" *radical* e que a Tripla hélice constitui uma mensagem "neodiferenciacionista" *radical*. Durante o encontro, apresentei aos proponentes da Tripla hélice duas questões. Primeira, quais são, precisamente, as instituições e as iniciativas que incorporam o elemento supostamente emergente e sintético da Tripla hélice, em oposição aos três elementos historicamente separados (ciência, Estado, indústria) que a compõem? Segunda, qualquer que seja sua forma exata, em que medida a pretendida "neodiferenciação" é "radicalmente diferenciada"? Não recebi respostas claras. Contudo, considero que agora (quatro anos depois), Etzkowitz e Leydesdorff produziram respostas para minhas questões. De fato, talvez muitas respostas para que se possa chegar a um esclarecimento. Seja como for, o pensamento da Tripla hélice evoluiu consideravelmente desde sua formulação inicial.

Em sua apresentação geral da Tripla hélice que apareceu em *Research Policy*, Etzkowitz e Leydesdorff (2000) desenvolvem duas idéias:

> (1) A Tripla hélice está centrada no interior da universidade tradicional. Etzkowitz e Leydesdorff insistem que os departamentos disciplinares convergem de novas maneiras, e enquanto mantêm as linhas tradicionais de pesquisa, estão também voltando-se para a pesquisa industrial e para formas intermediárias de pesquisa. As universidades estão assim gerando uma variedade de instituições intermediárias que as ligam aos interesses econômicos e sociais. A universidade constitui um lugar privilegiado no qual os discursos convergem, misturam-se e dão origem a novas formas de discurso e de ação. Nessa publicação, a Tripla hélice amplamente alusiva é, finalmente, identificada.
>
> (2) Na mesma publicação, encontra-se o termo "transição sem fim". Esta é uma adição importante. A ênfase em repetidas coevoluções atenua o foco dos autores em um acontecimento único. Não temos mais que procurar por "uma" única macroentidade que incorpora uma confluência espetacular de três estratos. O modelo torna-se agora compatível com

> mudanças bastante menores e coevoluções que ocorrem *no interior* de cada um dos três estratos. As pessoas interessadas na abordagem da Tripla hélice estão agora livres para procurar pequenas variações e variantes (transições sem fim em um micronível). Essa reordenação no interior do modelo, em favor de transições finitas e de micronível, coincide com a recente atenção, mencionada acima, dada às mudanças que ocorrem no interior do estrato universitário.

Então, no que a Tripla hélice se tornou? Segundo essa visão geral, a universidade se sustenta. Juntamente com suas funções tradicionais de ensino, certificação de diplomas e pesquisa fundamental, as recentes mudanças cognitivas e econômicas simplesmente acrescentaram novas funções. O papel histórico das universidades é preservado e ampliado para acomodar circunstâncias em transformação. Aqui, a universidade se esgueira pela porta dos fundos como o elemento decisivo das relações cognitivas e econômicas contemporâneas. Concomitantemente, recua discretamente a novidade da metáfora da Tripla hélice. Os deslocamentos perturbadores da Tripla hélice são suplantados por *adaptações complementares*, evolutivas e transitórias no âmbito da academia!

Entretanto, Etzkowitz e Leydesdorff parecem discordar dessa leitura. Em sua apresentação na terceira conferência internacional da Tripla hélice, ocorrida no Rio de Janeiro em abril de 2000, Henry Etzkowitz declarou que a Tripla hélice está incorporada em "incubadoras". Mas essa alegação está em conflito com a posição assumida por ele mesmo e Leydesdorff em *Research Policy*. Uma confusão ainda maior produziu-se quando Etzkowitz insistiu que a Tripla hélice se encontra na "segunda revolução acadêmica", uma proposição que tem pelo menos o mérito de ser consistente com as afirmações de *Research Policy*. Ainda assim, podemos perguntar que tipo de pensamento subjaz a tais afirmações? Que evidência pode ser recolhida em apoio a uma ou outra dessas proposições?

Um exame da base de dados *Sociofile* e utilizando vários motores de pesquisa da Internet para os termos "incubadora" e para "segunda revolução acadêmica" revela que muito pouco foi escrito sobre esses tópicos – de fato, tão pouco, que não é claro exatamente a que se referem (sociológica e cognitivamente) esses termos. Antes de atribuir seja às incubadoras seja à segunda revolução acadêmica o *status* de pedra angular da Tripla hélice, é preciso determinar suas propriedades sociais, econômicas e cognitivas.

Contudo, se adotamos a "transição sem fim", o que se deve fazer com as pretensões anteriormente revolucionárias da Tripla hélice? Porque, se, tal como admitido pelos autores, coevoluções decisivas podem surgir no interior de apenas um dos três estratos constituintes, então o *status* da suposta macroentidade (a "Tripla hélice") historicamente nova e única está sujeito a sérias reservas. Tendo em vista esses refinamentos, pode-se dizer que o modelo ainda existe ou, ao contrário, que ele está dando lugar a uma nova formulação, mais harmônica com a evidência empírica coletada no curso de cuidadosos estudos de caso – uma formulação que tem pouco a dizer acerca da "neodiferenciação radical"? Qualquer que seja seu futuro, a Tripla hélice conduziu um bom número de pessoas a considerar como mudaram as relações ciência/governo/indústria, como estão mudando e como mudarão. Essa orientação evoluirá na medida em que se basear em estudos de caso e nos debates.

Desafios

O tamanho e a diversidade disciplinar/profissional da audiência da Nova produção de conhecimento provêm, em parte, do fato de que seu argumento toca em muitas esferas, que se estendem da educação à pesquisa, aos negócios, à política e à organização da democracia contemporânea (cf. Horelli, 1997). Muitos consideram essa abordagem como uma chave, como uma poção mágica, para entender todo um leque de problemas. A Nova produção de conhecimento não é uma escola de pesquisa, uma vez que não articula um programa de pesquisa. *The new production of knowledge* e *Re-thinking science* não definem questões, não propõem uma metodologia, não proporcionam respostas refletidas, nem estabelecem as condições limítrofes. Ao contrário, essas obras podem ser ligadas a manifestos políticos, cuja forma de exposição é retórica.

O campo sociocognitivo da Tripla hélice é muito diferente. Quando medida pelas citações, sua audiência é negligenciável. Mas se avaliamos essa posição por referência a seus colóquios internacionais e aos países em desenvolvimento, a Tripla hélice mobiliza um grande número de seguidores. A Tripla hélice pode ou não constituir um modelo analítico, mas ela constitui uma escola de pesquisa séria com uma agenda empírica e conceitual.

As duas abordagens podem ser criticadas por não levarem em conta dois aspectos importantes da produção e difusão de conhecimento e de artefatos. A primeira deficiência consiste no fracasso em reconhecer que a universidade, a indústria e o governo, todos funcionam em um cenário nacional. Mesmo as disciplinas e especialidades científicas operam em instituições nacionais diferentes, e isso é também verdade para os negócios. Isso não diminui a importância de fenômenos multinacionais, transnacionais ou globais.

A globalização está em expansão, mas, pelo menos até o presente, a desnacionalização da ciência não está eclipsando o componente nacional da organização e do trabalho de pesquisa e ensino científicos (cf. Crawford, Shinn & Sörlin, 1992). Há evidência abundante de que o conceito de "sistemas nacionais de inovação", elaborado por Richard Nelson, ainda dá conta da maior parte das atividades em ciência/indústria/governo (cf. Nelson, 1993; D'Iribarne *et al.*, 1998; Shinn, 2000b).

Sugiro que nos afastemos de um cenário "ou/ou", no qual se enfatizam que as práticas e as configurações são principalmente globais ou principalmente nacionais, umas com a exclusão das outras. É claro que há uma enorme quantidade de mudanças afetando a ciência, a indústria e o governo. Entretanto, isso está ocorrendo no quadro referencial do Estado nacional. Esse é o caso até mesmo na Europa, onde, apesar dos incisivos esforços por uma política científica e econômica comum, não há declínio das iniciativas científicas nacionais. Um exemplo disso é a cerrada disputa em torno do projeto, lugar e construção da terceira geração de cíclotrons: deve-se construí-lo na França ou na Inglaterra? Decidiu-se que cada nação terá seu próprio cíclotron.

Uma maneira de reformular essa questão é perguntar: quais são os setores econômicos e os campos cognitivos que estão mais fortemente ligados a sistemas nacionais e quais operam fora das constrições nacionais? (cf. Hage & Holingsword, 2000). Uma abordagem sociológica das relações cambiantes ciência/indústria/Estado deveria combinar as preocupações expressas na Nova produção de conhecimento e na Tripla hélice com aquelas das tradições, leis, emprego e tipos de carreira nacionais, assim como das instituições e culturas nacionais. Permanecer em silêncio sobre essas questões profundas e duráveis é certamente um erro.

Um segundo problema enfrentado pelas duas perspectivas relaciona-se ao modo pelo qual elas lidam com um dos conceitos sociológicos centrais – a saber, a "diferenciação". A análise da Nova produção de conhecimento sugere que as "diferenciações" (e divisões de trabalho) são uma coisa do passado. É lamentável que essa espantosa alegação não se apóie na discussão acerca do modo como as "diferenciações" operaram no passado, como e por que elas supostamente erodiram, e o que seu afastamento sumário implica para a teoria sociológica. A Tripla hélice, ainda que de um ponto de vista diferente, tampouco nos ajuda muito. A perspectiva retém os conceitos clássicos de diferenciação e integração, mas, na prática, isso simplesmente implica a projeção de ciclos tradicionais de integração, de neodiferenciação e de neo-integrações em uma infinidade de interações coevolucionárias. Lamentavelmente, isso contribui pouco.

Apesar das muitas diferenças importantes, as duas abordagens constituem uma pesquisa compartilhada para o que poderia ser melhor chamado "transversalidade" – transversalidade que atravessa as fronteiras cognitivas, técnicas, econômicas e sociais. Significativamente, nem a Nova produção de conhecimento, nem a Tripla hélice examinou o registro histórico da existência e das ações de comunidades baseadas em ações transversais; ao contrário, ambas trabalham com a suposição de que a transversalidade é, resolutamente, um produto funcional de nossa época e cultura. No entanto, certa história e sociologia da ciência e da tecnologia recente sugere que, por quase dois séculos, primeiro na Europa e a seguir nos Estados Unidos, Japão e URSS, grupos pequenos, mas freqüentemente influentes, incorporaram a própria forma das operações transversais mais ou menos referidas pela Tripla hélice e pela Nova produção de conhecimento (cf. Joerges & Shinn, 2001; Shinn & Joerges, 2002). Historicamente, esse grupo de praticantes, freqüentemente informal e não oficial, chamado "tecnólogos pesquisadores", gerou divisas genéricas (artefatos e metodologias). Tais divisas (por exemplo, a ultracentrífuga, o rumbatron, a espectroscopia por transformadas de Fourier, o estereocomparador, o laser e assim por diante) tomam a forma da instrumentação aberta que se alastra pelas fronteiras da ciência e da engenharia, da academia e da indústria, da metrologia e do serviço público, à medida que os especialistas, em nichos particulares, adaptam e integram essas divisas. Os tecnólogos pesquisadores e a tecnologia de pesquisa operam na interface entre as organizações e as instituições estabelecidas. Eles se posicionam "*in-between*" ("no interior-entre") os corpos e profissões ortodoxos e são, desse modo, intersticiais (cf. Staley, 2002). Eles sustentam diferenciações e divisões de trabalho instituídas, violando-as. A tecnologia de pesquisa, uma característica ordinária, embora freqüentemente não notada, da história recente e da vida contemporânea, é em alguns aspectos emblemática daquilo que a Tripla hélice e a Nova produção de conhecimento procuram apreender, de modos diferentes. O desafio para cada perspectiva é identificar e sondar entidades transversais similares, mostrar como elas funcionam e indicar seu potencial em uma ordem cognitiva, econômica, social e técnica que está experimentando rápida mudança.

Os estudos sociais da ciência e da tecnologia são um ponto de vista privilegiado para analisar as mudanças que estão reconfigurando e fundindo os fatores cognitivos, industriais e sociais. Desde que transformações em tão grande escala mostram-se difíceis de analisar, há uma tendência para a simplificação e para as metáforas performáticas. Devemos assegurar-nos ao máximo de que nossos conceitos e conclusões estejam baseados em estudos empíricos, para estabelecer as condições-limite de seus resultados e para exercer a prudência na articulação de modelos, de modo que eles reflitam criticamente as restrições dos dados. Essas considerações devem ser mantidas em mente nas perspectivas da Nova produção de conhecimento e da Tripla hélice, para assegurar que elas contribuam com algo duradouro no ensino e na prática. A triste alternativa é que elas simplesmente acalentem um furor improdutivo, sendo pouco mais que uma moda passageira.

Referências bibliográficas

Abir-Am, P. From multidisciplinary collaborations to transnational objectivity: international space as constitutive of molecular biology, 1930-1970. In: Crawford, E.; Shinn, T. & Sörlin, S. (Ed.). *Denationalizing science. Sociology of the sciences yearbook 1992*. Dordrecht: Kluwer Academic Publishers, 1993. p. 153-86.

Allison, P. D. et al. Cumulative advantage and inequality in science. *American Sociological Review*, 47, p. 615-25, 1982.

Amman, K. & Knorr-Cetina, K. The fixation of (visual) evidence. *Human Studies*, 11, 2-3, p. 133-69, 1988.

Ashmore, M. *The reflexive thesis*. Chicago: Chicago University Press, 1989.

Audétat, M. Re-thinking science, re-thinking society. *Social Studies of Science*, 31, 6, p. 950-6, 2001.

Auger, J. F. Le régime de recherche utilitaire du professeur-consultant de chimie industriell au cours de la Seconde Révolution Industrielle. *Annals of Science*, 61, 3, p. 351-74, 2004.

Bachelard, G. *Le rationalisme appliqué*. Paris: PUF, 1949.

____. *L'activité rationaliste de la physique contemporaine*. Paris: PUF, 1951.

Barnes, B. *Interests and the growth of knowledge*. London: Routledge & Kegan Paul, 1977.

Ben-David, J. Roles and innovations in medicine. *American Journal of Sociology*, 65, 6, p. 557-68, 1960.

____. The rise and decline of France as a scientific center. *Minerva*, 8, 2, p. 160-79, 1970.

____. *The scientist's role in society: a comparative study*. Englewood Cliffs: Prentice Hall, 1971.

____. *Éléments d'une sociologie historique des sciences*. Paris: PUF, 1997.

Ben-David, J. & Collins, R. Social factors in the origins of a new science: the case of psychology. *American Sociological Review*, 31, 4, p. 451-65, 1966.

Bijker, W. E. *Of bicycles, bakelites and bulbs. Toward a theory of socio-technological change*. Cambridge: MIT Press, 1994.

Bijker, W. E.; Hughes T. & Pinch, T. (Ed.). *The social construction of technological systems: new directions in the sociology and history of technology*. Cambridge: MIT Press, 1990.

Blau, J. R. Scientific recognition: academic context and professional role. *Social Studies of Science*, 6, p. 533-45, 1976.

Bloor, D. *Knowledge and social imagery*. London: Routledge & Kegan Paul, 1976.

____. *Sociologie de la logique ou les limites de l'épistémologie*. Paris: Pandore, 1982.

Boudon, R. *La crise de la sociologie. Questions d'épistémologie socio-logique*. Genève: Librairie Droz, 1971.

____. *L'art de se persuader des idées, douteuses, fragiles ou fausses*. Paris: Fayard, 1990.

____. *Le juste et le vrai. Etude sur l'objectivité des valeurs et de la connaissance*. Paris: Fayard, 1995.

Bourdieu, P. La spécificité du champ scientifique et les conditions sociales du progrès de la raison. *Sociologie et Sociétés*, 7, 1, p. 91-118, 1975.

____. Le champ scientifique. *Actes de la Recherche en Sciences Sociales*, 2-3, p. 88-104, 1976.

____. L'illusion biographique. *Actes de la Recherche en Sciences Sociales*, 62-63, p. 69-72, 1986.

____. *Science de la science et réflexivité. Cours du Collège de France 2000-2001*. Paris: Raisons d'Agir, 2001.

Bourdieu, P.; Chamboredon, J. C. & Passeron, J. C. *Le métier de sociologue*. Paris/La Haye: EHESS/Mouton, 1984 [1968].

Box, S. & Cotgrove, S. The productivity of scientist in industrial research laboratories. *Sociology*, 2, p. 163-72, 1968.

Cahan, D. *An institute for an empire: the Physikalisch Technische Reichsanstalt, 1871-1918*. Cambridge: Cambridge University Press, 1989.

____. *Tout ce que vous devriez savoir sur la science*. Paris: Seuil, 1994.

Callon, M. Éléments pour une sociologie de la traduction. La domestication des coquilles Saint-Jacques et des marins-pêcheurs dans la baie de Saint-Brieuc. *L'Année Sociologique*, 36, p. 169-208, 1986.

____. Défense et illustration des recherches sur la science. In: Jurdant, B. (Ed.). *Impostures scientifiques. Les malentendus de l'affaire Sokal*. Paris: Alliage/La Découverte, 1998. p. 253-67.

Callon, M. & Latour, B. (Ed.). *La science telle qu'elle se fait. Une anthologie de la sociologie des sciences de langue anglaise*. Paris: Pandore, 1982.

____. (Ed.). *La science telle qu'elle se fait. Une anthologie de la sociologie des sciences de langue anglaise*. Paris: La Découverte, 1991. (Edição revista e ampliada).

Callon, M. & Law, J. On interests and their transformation: enrolment and counter-enrolment. *Social Studies of Science*, 12, 4, p. 615-25, 1982.

Carson, R. L. *Silent spring*. London: Penguin Books, 1962.

Chandler, A. D. *The visible hand: the managerial revolution in American business*. Cambridge: The Belknap Press of Harvard University Press, 1977.

Charpak, G. & Saudinos, D. *La vie à fil tendu*. Paris: LGF, 1994.

Cole, J. & Cole, S. Scientific output and recognition: a study in the operation of the reward system of science. *American Sociological Review*, 32, p. 377-90, 1967.

____. Visibility and the structural bases of awareness. *American Sociological Review*, 33, p. 397-412, 1968.

Collins, H. & Pinch, T. *The Golem: what everyone should know about science*. Cambridge/New York: Cambridge University Press, 1993.

____. *Tout ce que vous devriez savoir sur la* science. Paris: Seuil, 1994.

Cotgrove, S. & Box, S. *Science, industry and society: studies in the sociology of science*. London: G. Allen & Unwin, 1970.

Courtial, J. P. (Ed.). *Sciences cognitives et sociologie des sciences*. Paris: PUF, 1994.

Crane, D. *Invisible colleges*. Chicago/London: University of Chicago Press, 1972.

Crawford, E.; Shinn, T. & Sörlin, S. The nationalization and denationalization of the sciences: an introductory essay. In: Crawford, E.; Shinn, T. & Sörlin, S. (Ed.). *Denationalizing science. The contexts of international practice*. Dordrecht: Kluwer Academic Publishers, 1992. p. 1-42.

Cuin, C.-H. *Ce que (ne) font (pas) les sociologues.* Paris: Librairie Droz, 2000.

De Solla Price, D. *Little science and big science*. New York: Columbia University Press, 1963.

____. The structures of publication in science and technology. In: Gruber, H. & Marquis, D. G. (Ed.). *Factors in the transfer of technology*. Cambridge: MIT Press, 1969. p. 91-104.

D'Iribarne, A. et al. The French science and technical system between societal constructions and sectorial specificities. *Research proposal for the 14th seminar of the European Group for organizational studies: stretching the boundaries of organization studies into the next millennium (9-11 juillet 1998)*. Maastrich University, Faculty of Economics and Business Administration, 1998.

Dubois, M. *Introduction à la sociologie des sciences*. Paris: PUF, 1999.

____. *La nouvelle sociologie des sciences*. Paris: PUF, 2001.

Durkheim, E. Représentations individuelles et représentations collectives. *Révue de Métaphysique et de Morale*, 4, p. 272-302, 1898.

Edge, D. & Mulkay, M. *Astronomy transformed: the emergence of radio astronomy in Britain*. New York: Wiley Interscience, 1976.

Etzkowitz, H. The norms of entrepreunarial science: cognitive effects of the new university-industry linkages. *Research Policy*, 27, 8, p. 823-33, 1998.

Etzkowitz, H. & Leydesdorff, L. The future location of research: a triple helix of university-industry-government relations II. *FASST Review*, 15, 4, p. 20-5, 1996.

____. *Universities and the global knowledge economy: a triple helix of university-industry-government relations*. London: Cassel Academic, 1997.

____. The endless transition: a "triple helix" of university-industry-government relations. *Minerva*, 36, p. 203-18, 1998.

____. The future location of research and technology transfer. *Journal of Technology Transfer*, 24, 2-3, p. 111-23, 1999.

____. The dynamics of innovation: from national systems and "mode 2" to a triple helix university-industry-government relations. *Research Policy*, 29, 2, p. 109-23, 2000.

Farley, J. & Geison, G. Le débat entre Pasteur et Pouchet: science, politique et génération spontanée au xix siècle. In: Callon, M. & Latour, B. (Ed.). *La science telle qu'elle se fait. Une anthologie de la sociologie des sciences de langue anglaise.* Paris: La Découverte, 1991. p. 87-145.

Galison, P. *Image and logic: material culture of microphysics*. Chicago: University of Chicago Press, 1997.

Gibbons, M.; Limoges, C.; Nowotny, H.; Schwartzman, S.; Scott, P. & Trow, M. *The new production of knowledge: the dynamics of science and research in contemporary societies*. London: Sage, 1994.

Gingras, Y. *Physics and the rise of scientific research in Canada*. Montréal: McGill-Queen's University Press, 1991.

____. Un air de radicalisme? Sur quelques tendances récentes en sociologie de la science et de la technologie. *Actes de la Recherche en Sciences Sociales*, 108, p. 3-17, 1995.

Gingras, Y. & Schweber, S. S. Constraints on construction. *Social Studies of Science*, 16, p. 372-83, 1986.

Glaser, B. G. Variations in the importance of recognition in scientists'-careers. *Social Problem*, 10, p. 268-76, 1963.

Godin, B. Writing performative history: the new "New Atlantis". *Social Studies of Science*, 28, 3, p. 465-83, 1998.

____. *Measurement and statistics on science and technology, 1930 to the present*. London/New York: Routledge, 2004.

Godin, B. & Ratel, S. Jalons pour une histoire de la mesure de la science. *Conférences "Internationalisme statistique, pratiques étatiques et traditions nationales"*. Montréal, UQAM, 1999.

Godin, B. & Gingras, Y. The place of universities in the system of knowledge production. *Research Policy*, 29, 2, p. 273-8, 2000.

Graham, L. R. *Science and philosophy in the Soviet Union*. New York: Alfred Knopf, 1972.

Guntau, M. & Laitko, H. (Ed.). *Vom Ursprung der Modernen Wissenschaft*. Berlin: Akademie-Verlag, 1987.

Hacking, I. Statistical language, statistical truth, and statistical reason: the self-authentification of a style of scientific reasoning. In: MacMullin, E. (Ed.). *Social dimensions of sciences*. Notre Dame: Université de Notre Dame Press, 1991a. p. 130-57.

____. Styles de raisonnement. In: Rajchman, J. & Cornet, W. (Ed.). *La pensée américaine contemporaine*. Paris: PUF, 1991b.

____. *Entre science et réalité, la construction sociale de quoi?* Paris: La Découverte, 2001.

____. "Vrai", les valeurs et les sciences. *Actes de la Recherche en Sciences Sociales*, 2, 141-142, p. 13-20, 2002.

Hage, J. & Holingsworth, R. Idea innovation networks: a strategy for integrating organizational and institutional analysis. *Organization Studies*, 21, p. 971-1004, 2000.

Hagstrom, W. O. *The scientific community*. New York/London: Basic Books, 1965.

Heilbron, J. La bibliométrie, genèse et usages. *Actes de la Recherche en Sciences Sociales*, 141-142, p. 78-9, 2002.

Heilbron, J. L. & Seidel, R. W. *Lawrence and his laboratory. A history of the Lawrence Berkeley laboratory*. Berkeley: University of California Press, 1989.

Hoffmann, D. Zur Etablierung der "Technischen Physik" in Deutschland. In: Guntau, M. & Laitko, H. (Ed.). *Vom Ursprung der Modernen Wissenschaft*. Berlin: Akademie-Verlag, 1987. p. 140-53.

Horelli, L. A methodological approach to children's participation in urban-planning. *Scandinavian Housing Planning Research*, 14, 3, p. 105-15, 1997.

Hughes, T. E. *Networks of power*. Baltimore: Johns Hopkins University Press, 1983.

Jeanneret, Y. *L'affaire Sokal ou la querelle des impostures*. Paris: PUF, 1998.

Joerges, B. & Shinn, T. *Instrumentation. Between science, state and industry*. Dordrecht/Boston/London: Kluwer Academic Publishers, 2001.

Jurdant, B. (Ed.). *Impostures scientifiques. Les malentendus de l'affaire Sokal*. Paris: Alliage/La Découverte, 1998.

Kevles, D. *The physicists*. New York: Alfred Knopf, 1978.

Knorr-Cetina, K. *The manufacture of knowledge. An essay on the constructivist and contextual nature of science*. London: Pergamon Press, 1981.

____. Le "souci de soi" ou les "tatonnements". Ethnographie de l'empitié dans deux disciplines scientifiques. *Sociologie du Travail*, 3, p. 311-30, 1996.

Kornhauser, W. *Scientists in industry. Conflict and accommodation*. Berkeley: University of California Press, 1962.

Kremer-Marietti, A. (Ed.). *Éthique et épistémologie: autour du livre «Impostures intellectuelles» de Sokal et Bricmont*. Paris: L'Harmattan, 2001.

Krohn, W.; Küppers, G.; & Nowotny, H. (Ed.). *Self-organization. Portrait of a scientific revolution*. Dordrecht: D. Reidel, 1990.

Kuhn, T. S. *La structure des révolutions scientifiques*. Paris: Flammarion, 1983 [1962].

____. *Black-body theory and the quantum discontinuity 1894-1912*. Chicago: University of Chicago Press, 1987.

____. *La tension essentielle. Tradition et changement dans les sciences*. Paris: Gallimard, 1990.

Lamy, E. *La fragmentation de la science à l'épreuve des start-ups: retour critique sur un constructivisme social au travers de l'étude des modes de coordination des pratiques scientifiques et marchandes lors des projets de création d'entreprises par les chercheurs du secteur public*. Paris, 2005. Tese (Doutorado em Filosofia). Université de Paris VII.

Lamy, E & Shinn, T. *L'autonomie face à la mercantilisation. Actes de la Recherche en Sciences Sociales*, 164, p. 23-49, 2006.

Latour, B. Le dernier des capitalistes sauvages. Interview d'un biochimiste. *Fundamenta Scientae*, 4, 3-4, p. 301-27, 1983.

____. *Les microbes: guerre et paix*. Paris: Métailié, 1984.

____. *La science en action*. Paris: La Découverte, 1989.

____. *Nous n'avons jamais été modernes*. Paris: La Découverte, 1991.

____. Le topofil de Boa Vista ou la référence scientifique. Montage photo-philosophique. *Raison Pratique*, 4, p. 187-216, 1993.

____. *Le métier de chercheur. Regard d'un anthropologue*. Paris: INRA, 1995.

____. Le topofil de Boa Vista ou la référence scientifique. Montage photo-philosophique. In: ____. *L'espoir de Pandore. Pour une version réaliste de l'activité scientifique*. Paris: La Découverte, 2001. p. 33-82.

____. Comment finir une thèse de sociologie? Dialogue sur l'acteur-réseau et ses difficultés. *Revue du MAUSS*, 24, p. 154-72, 2004.

Latour, B. & De Noblet, J. (Ed.). Les "vues" de l'esprit. *Culture Technique*, 14, juin 1985. (Número especial).

Latour, B. & Fabbri, P. La rhétorique de la science. Pouvoir et devoir dans un article de science exacte. *Actes de la Recherche en Sciences Sociales*, 13, p. 81-95, 1977.

Latour, B. & Woolgar, S. *Laboratory life: the social construction of scientific facts*. Los Angeles/London: Sage, 1979.

____. *La vie de laboratoire. La production des faits scientifiques*. Paris: La Découverte, 1988.

Lécuyer, B. P. Bilan et perspectives de la sociologie de la science dans les pays occidentaux. *Archives Européennes de Sociologie*, 19, p. 257-336, 1978.

Leydesdorff, L. & Etzkowitz, H. Emergence of a triple helix of university-industry-government relations. *Science and Public Policy*, 23, p. 279-86, 1996.

____. (Ed.). *A triple helix of university-industry-government relations: the future location of research?* New York: Science Policy Institute, State University of New York, 1998.

____. Technology innovation in a triple helix of university-industry-government relations, Asia pacific tech. *Monitor*, 15, 1, p. 32-8, 1998.

____. The triple helix as a model for innovation studies. *Science and Public Policy*, 25, 3, p. 195-203, 1998.

____. Triple helix of innovation: introduction. *Science and Public Policy*, 20, 6, p. 358-64, 1998.

Lemaine, G. Science normale et science hypernormale. Les stratégies de différenciation et les stratégies conservatrices dans la science. *Revue Française de Sociologie*, 21, p. 499-527, 1980.

Lemaine, G. et al. *Perspectives on the emergence of scientific disciplines*. La Haye/Paris: Mouton, 1976.

Luhmann, N. *Social systems*. Stanford: Stanford University Press, 1996.

Lundgreen, P. et al. *Staatliche Forschung in Deutschland, 1870-1980*. Frankfurt/New York: Campus, 1986.

Lynch, M. Technical inquiry: investigations in a scientific laboratory. *Social Studies of Science*, 12, p. 499-534, 1982.

____. *Art and artifact in laboratory science. A study of shop work and shop talk in a research laboratory*. London: Routledge & Kegan Paul, 1985.

____. The externalized retina: selection and mathematization in the visual documentation of objects in the life sciences. *Human Studies*, 11, 2-3, p. 201-34, 1988.

____. *Scientific practice and ordinary action*. New York: Cambridge University Press, 1993.

MacKenzie, D. Comment faire une sociologie de la statistique. In: Callon, M. & Latour, B. (Ed.). *La science telle qu'elle se fait. Une anthologie de la sociologie des sciences de langue anglaise*. Paris: La Découverte, 1991. p. 200-61.

MacMullin, E. Scientific controversy and its termination. In: Engelhardt, H. T. & Caplan, A. L. (Ed.). *Scientific controversies. Case studies in the resolution and closure of disputes in science and technology*. New York: Cambridge University Press, 1987. p. 49-92.

Mannheim, K. *Idéologie et utopie*. Paris: Marcel Rivière & Cie, 1956.

Masterman, M. The nature of paradigm. In: Lakatos, I. & Musgrave, A. (Ed.). *Criticism and growth of knowledge*. Cambridge: Cambridge University Press, 1970. p. 59-90.

Maturana, H. & Varela, F. J. *Autopoiesis and cognition: the realization of the living*. Dordrecht: D. Reidel, 1980.

Merton, R. K. Science and technology in a democratic order. *Journal of Legal and Political Sociology*, 1, p. 115-26, 1942.

____. *Science, technology and society in seventeenth century England*. New York: Fertig, 1970.

____. *The sociology of science. Theoretical and empirical investigations*. Chicago: University of Chicago Press, 1973.

Meyer-Thurow, G. The industrialization of invention: a case study from the German chemical industry. *Isis*, 73, p. 363-81, 1982.

Mintzberg, H. *The structuring of organizations*. Englewood Cliffs: Prentice Hall, 1979.

Mitroff, I. *The subjective side of science: a philosophical inquiry into the psychology of the Apollo Moon scientists*. Amsterdam: Elsevier, 1974.

Mullins, N. C. The development of a scientific specialty: the phage group and the origins of molecular biology. *Minerva*, 10, p. 51-82, 1972.

Nelson, R. R. *National innovation systems: a comparative analysis*. New York: Oxford University Press, 1993.

Noble, D. *America by design: science, technology and the rise of corporate capitalism*. New York: Alfred Knopf, 1977.

Nowotny, H.; Gibbons, M. & Scott, P. *Re-thinking science: knowledge and the public in an age of uncertainty*. London: Policy Press & Blackwell Pub., 2001.

Nye, M. J. *Science in the provinces. Scientific communities and provincial leadership in France, 1860-1930 II*. Berkeley: University of California Press, 1986.

____. *From chemical philosophy to theoretical chemistry: dynamics of matter and dynamics of disciplines, 1800-1950*. Berkeley: University of California Press, 1993.

Olesko, K. M. *Physics as a calling: discipline and practice in the Königsberg seminar for physics*. Ithaca/London: Cornell University Press, 1991.

OST. *Indicateurs des sciences et des technologies*. Paris: Economica, 2004.

Passeron, J. C. *Le raisonnement sociologique. L'espace non popperien du raisonnement naturel*. Paris: Nathan, 1991.

Paul, H. W. *From knowledge to power: the rise of the science empire in France, 1860-1939*. Cambridge: Cambridge University Press, 1985.

Perrow, C. A framework for the comparative analysis of organizations. *American Sociological Review*, 32, 2, p. 194-208, 1967.

Pestre, D. Pour une histoire sociale et culturelle des sciences. Nouvelles définitions, nouveaux objets, nouvelles pratiques. *Les Annales, Histoire, Sciences Sociales*, mai-juin, p. 487-522, 1995.

____. La production des savoirs entre académies et marché. *Revue d'Économie Industrielle*, 79, p. 163-74, 1997.

Pickering, A. *Constructing quarks: a sociological history of particle physics*. Chicago: University of Chicago Press, 1984.

Pickering, A. Rôle des intérêts sociaux en physique des hautes énergies. Le choix entre charme et couleur. In: Callon, M. & Latour, B. (Ed.). *Les scientifiques et leurs alliés*. Paris: Pandore, 1985. p. 87-119.

Pinch, T. Observer la nature ou observer les instruments. *Culture Technique*, 14, p. 88-107, 1985.

Pontille, D. La signature scientifique. Authentification et valeur marchande. *Actes de la Recherche en Sciences Sociales*, 141-142, p. 72-8, 2002.

Popper, K. R. *Logik der Forschung*. Vienne: Julius Springer Verlag, 1935.

Postel-Vinay, O. La défaite de la science française. *La Recherche*, 352, avril 2002.

Pritchard, A. Statistical bibliography or bibliometrics. *Journal of Documentation*, 25, 4, p. 348-9, 1969.

Ragouet, P. D'une critique sociologique des épistémologies positives et l'abandon du projet sociologique. À propos des travaux de Bruno Latour et Michel Callon. *Revue Suisse de Sociologie*, 20, 2, p. 487-503, 1994.

____. Notoriété professionnelle et organisation scientifique. *Cahiers Internationaux de Sociologie*, 109, p. 317-41, 2000.

____. Différenciation et antidifférenciation: la sociologie des sciences dans l'impasse? *Revue Européennes des Sciences Sociales*, 40, 124, p. 165-84, 2002.

Rasmussen, N. *Picture control. The electron microscope and the transformation of biology in America, 1940-1960*. Stanford: Stanford University Press, 1997.

Raynaud, D. *Sociologie des controverses scientifiques*. Paris: PUF, 2003.

Reich, L. S. *The making of American industrial research: science and business at GE and Bell, 1876-1926*. Cambridge: Cambridge University Press, 1985.

Rheinberger, H. J. *Towards a history of epistemic things: synthetizing proteins in the test-tube*. Stanford: Stanford University Press, 1997.

Rip, A. Contextual transformation in contemporary science. In: Jamison, A. (Ed.). *Keeping science straight. A critical look at the assessment of science and technology*. Gothenburg: Department of Theory of Science, University of Gothenburg, 1988. p. 59-85.

Salomon, J. J. *Survivre de la science. Une certaine idée du futur*. Paris: Albin Michel, 1999.

Schwartz, L. *La France en mai 1981: l'enseignement et le développement scientifique*. Paris: La Documentation Française, 1982.

Shapin, S. & Shaffer, S. *Leviathan and the air-pump*. Princeton: Princeton University Press, 1985.

Shinn, T. The french scientific faculty systems, 1808-1914: institutional change and research potential in mathematics and the physical sciences. *Historical Studies in the Physical Sciences*, 10, p. 271-332, 1979.

____. Division du savoir et spécificité organisationnelle. Les laboratoires de recherche industrielle en France. *Revue Française de Sociologie*, 21, p. 3-35, 1980.

____. The Bellevue grand électroaimant, 1900-1940: birth of a research-technology community. *Historical Studies in the Physical Sciences*, 24, 1, p. 157-87, 1993.

Shinn, T. The impact of research and education on industry: a comparative analysis of the relationship of education and research systems to industrial progress in six countries. *Industry & Higher Education*, p. 270-89, 1998.

____. Change or mutation? Reflections on the foundations of contemporary science. *Social Science Information*, 38, 1, p. 149-76, 1999.

____. Axes thématiques et marchés de diffusion. *Sociologie et Société*, 32, 1, p. 43-69, 2000a.

____. Formes de division du travail scientifique et convergence intellectuelle. *Revue Française de Sociologie*, 41, p. 447-73, 2000b.

____. The research-technology matrix: German origins, 1860-1900. In: Joerges, B. & Shinn, T. (Ed.). *Instrumentation. Between science, state and industry*. Dordrecht/Boston/London: Kluwer Academic Publishers, 2001a. p. 29-48.

____. Strange cooperations: the US research technology perspective, 1900-1955. Joerges, B. & Shinn, T. (Ed.). *Instrumentation. Between science, state and industry*. Dordrecht/Boston/London: Kluwer Academic Publishers, 2001b. p. 69-95.

____. Nouvelle production du savoir et triple hélice. Tendances du prêt-à-penser les sciences. *Actes de la Recherche en Sciences Sociales*, 141-142, p. 21-30, 2002.

Shinn, T. & Joerges, B. The transverse science and technology culture: dynamics and roles of research-technology. *Social Science Information*, 41, 2, p. 207-51, 2002.

____. Paradox oder Potential. Zur Dynamik Heterogener Kooperation. In: Gläser, J. et al. (Ed.). *Kooperation im Niemandsland. Neue Perspektiven auf Zusammenarbeit in Wisenschaft und Teknik*. Opladen: Leske & Budrich, 2003. p. 77-101.

Sime, R. L. *Lise Meitner. A life in physics*. Berkeley: University of California Press, 1996.

Smith, C. & Wise, N. *Energy and empire: a biographical study of Lord Kelvin*. Cambridge: Cambridge University Press, 1989.

Sokal, A. Transgressing the boundaries: toward a transformative hermeneutics of quantum gravity. *Social Text*, 46-47, p. 217-52, 1996a.

____. A physicist experiment with cultural studies. *Lingua Franca*, p. 62-4, May/June, 1996b.

Sokal, A. & Bricmont, J. *Impostures intellectuelles*. Paris: Odile Jacob, 1997.

Staley, R. Interstitial instruments. *Social Studies of Science*, 32, 3, p. 469-76, 2002.

Stein, M. I. Creativity and the scientist. In: Barber, B. & Hirsch, W. (Ed.). *The sociology of science*. New York: The Free Press, 1962. p. 329-43.

The International Society for the Psychoanalytic Study of Organizations 1999 Symposium: Issues in management research. <http://www.sba.oakland.Edu/ispso/html/1999Symposium/HuffingtonJames1999.htm>. Acesso em 05/05/2002.

Thompson, J. D. *Organizations in action*. New York: McGraw Hill, 1957.

WEINGART, P. From "finalization" to "mode 2": old wine in new bottles? *Social Science Information*, 36, 4, p. 591-613, 1997.

WESTFALL, R. S. *Never at rest: a biography of Isaac Newton*. Cambridge/London/New Rochelle: Cambridge University Press, 1980.

WHITLEY, R. D. Specialty, marginality and types of competition in the sciences. In: GLEICHMAN, P. R.; GOUDSBLOM, J. & KORTE, H. (Ed.). *Human figurations: essays for Norbert Elias*. Amsterdam: Stichting Amsterdams Sociologisch Tijdschrift, 1977.

____. *The intellectual and social organization of the sciences*. Oxford: Clarendon Press, 1984.

WOOLGAR, S. *Knowledge and reflexivity*. London: Sage Publications, 1988.

ZIMAN, J. *The force of knowledge: the scientific dimension of society*. Cambridge: Cambridge University Press, 1976.

____. *Reliable knowledge: an exploration of the grounds for belief in science*. Cambridge/London/New York: Cambridge University Press, 1978.

ZUCKERMAN, H. *Scientific elites. Nobel laureates in the United States*. New York: The Free Press, 1977.

Índice de termos

Índice de autores

Este livro foi composto em filosofia
e impresso em papel pólen 80 g/m²
na Bartira Gráfica e Editora
em outubro de 2008